Hangar nᵒ 7

roman

Catalogage avant publication de BAnQ et de BAC

Mainville, Paul

Hangar no 7

ISBN 978-2-89741-023-0   ISBN ePub 978-2-89741-025-4

I. Titre. II. Titre : Hangar numéro sept.

PS8626.A417H36 2015   C843'.6   C2015-940998-5
PS9626.A417H36 2015

Nous remercions le Conseil des arts du Canada ainsi que la Société de développement des entreprises culturelles du Québec de l'aide apportée à notre programme de publication. Nous reconnaissons également l'aide financière du gouvernement du Canada, par l'entremise du Fonds du livre du Canada, pour nos activités d'édition.
Gouvernement du Québec — Programme de crédit d'impôt pour l'édition de livres — Gestion SODEC.

Illustration de la couverture : Henri de Toulouse-Lautrec, *Le trapèze volant*, 1899
Maquette de la couverture : Raymond Martin
Mise en pages : Julia Marinescu

Distribution :

Canada	Europe francophone
Dimedia	D.N.M. (Distribution du Nouveau Monde)
539, boul. Lebeau	30, rue Gay Lussac
Montréal (QC)	F-75005 Paris
H4N 1S2	France
Tél. : 514 336-3941	Tél. : 01 43 54 50 24
Téléc. : 514 331-3916	Téléc. : 01 43 54 39 15
general@dimedia.qc.ca	www.librairieduquebec.fr

Dépôt légal : BAnQ et BAC, 3ᵉ trimestre 2015
Imprimé au Canada

Paul Mainville

Hangar n° 7

roman

Triptyque

Prologue

En temps normal, Elena incarnait la beauté, la sensualité et la jeunesse. Les paysans, les ouvriers, les marcheurs qui avaient la chance de se trouver sur son passage restaient bouche bée. C'était un cadeau du ciel. Elena savait qu'elle était pure féminité et objet de désir, mais elle prétendait l'ignorer. Elle dévalait les chemins de campagne vers le camp de base du Cirque des montagnes Bleues sur une vieille bicyclette rouge. Sa jupe froufroutait dans le vent, ce qui laissait parfois voir une cuisse parfaite. Après son passage, les hommes sifflaient ou fredonnaient des airs joyeux. Été comme automne, la belle Elena créait par sa seule présence une ode au bonheur d'être vivant.

Mais cet après-midi-là, les bas blancs qui s'arrêtaient aux genoux avaient pris la teinte sombre du sang frais. De fines gouttes de sang tombaient sur ses cuisses, ses mollets et ses souliers, puis finissaient leur course sur le sol. Elena ressentait les nombreuses coupures profondes que portait son sexe et chaque tour de pédale exigeait une force qu'elle n'avait plus depuis longtemps. Ses jambes musclées et sveltes portaient également des traces de violence et des blessures vives.

Enfin, le haut de la colline apparut. La montée se terminait par un superbe point de vue sur les hauts sommets des montagnes environnantes. À partir de là,

Elena pouvait se laisser descendre. Mais la lutte pour ne pas sombrer dans l'inconscience se perdit dès l'instant où elle aperçut les caravanes du Cirque des montagnes Bleues. Ensuite, tout devint flou. Le soleil prit toute la place, le goût du sang aussi, puis plus rien.

Le premier qui vit chuter Elena fut Marcello, l'un des techniciens de la troupe. Il prévint Annabelle, sa femme, qui se trouvait tout près. Ils coururent vers elle. Annabelle s'agenouilla pour vérifier si la jeune femme respirait encore. Elle était évanouie, et sa respiration, saccadée. L'une de ses jambes était coincée sous le cadre du vélo. En essayant de la dégager, Annabelle remarqua qu'Elena ne portait pas de petite culotte sous sa jupe. Il n'y avait que du sang qui coulait librement. Marcello enleva son manteau et le déposa sur la jeune femme. Il courut vers la caravane chercher de l'aide. Annabelle examina le bas-ventre d'Elena. Elle avait été violentée d'une manière sauvage. Annabelle lui chanta une berceuse en lui tenant la main. Des larmes coulaient sur son visage, alors qu'elle regardait vers le cirque. Déjà, un camion approchait.

Peu de temps après, dans la roulotte de Marcello et d'Annabelle, Peter, le frère d'Elena, se tenait à son chevet. Il lui tenait la main. Lentement, Elena reprenait vie. On l'avait lavée et soignée du mieux qu'on pouvait. Mais elle devait aller à l'hôpital et il n'y avait pas de téléphone au campement. Je me rappelle très bien. Nous avions des questions, nous voulions savoir ce qui s'était passé. Elena était avare de précisions, ce qui était normal dans son état. Cependant, elle a prononcé quelques mots, craintivement, comme si le sort du monde en dépendait : « Ils étaient là, dit-elle, ils étaient là comme des chiens enragés… Ils ne voyaient plus rien d'autre que nous. Ils nous ont jeté au visage leur haine brûlante comme le feu.» «Qui ça, nous?» demanda Peter. Elena ferma les yeux. «Les Esporiens… Ce sont seulement les Esporiens qui les intéressent.» Peter nous a regardés. Je lui ai fait signe de laisser Elena se reposer. À l'extérieur, nous avons décidé d'aller voir ce qui se passait. Annabelle a voulu savoir si nous allions essayer de ramener au moins un médecin. Je lui ai répondu que ça dépendrait de ce que nous allions trouver. Elle n'a pas répondu. Elle comprenait très bien ce que je voulais dire. Comme elle comprenait que les violences faites à Elena ne devaient pas être connues de Peter. Il serait devenu fou de rage, déjà qu'on le sentait tendu comme un élastique sur le point de céder.

Nous avons suivi la route vers Lansalé, la plus importante ville de la région. Nous étions très silencieux dans le camion, nos regards scrutaient l'horizon à la recherche de quelque chose, mais nous ne savions quoi. Fait étrange sur cette route habituellement assez fréquentée, il n'y avait aucun trafic. Ni voitures, ni camions, ni bicyclettes. Tout à coup, Marcello stoppa net. Un troupeau de moutons barrait la route. Personne ne les surveillait, ni chien ni gardien de troupeau. Peter proposa de se garer sur le bas-côté et d'aller investiguer. Il connaissait Lakvik, le propriétaire du troupeau.

Nous avons marché quelques minutes dans les champs en suivant les moutons que Peter guidait vers la ferme située un peu plus loin. Nous le suivions à distance, jetant un coup d'œil sur la route de temps à autre pour voir s'il venait une voiture. Nous avons alors entendu un cri, comme celui d'un enfant. Un cri brisé, pas très net. En essayant de se rapprocher de la voix, Peter devint nerveux. Il mentionna que nous n'avions aucune arme. C'était vrai, nous étions des artistes de cirque, les armes ne nous importaient guère. Mais Peter avait un gabarit de géant, ce qui représentait une forme d'arme.

La voix se fit entendre à nouveau, plus près cette fois. Nous avons marché dans sa direction. Derrière des arbustes touffus, nous avons découvert quelque chose qui nous horrifia. Des corps, dont celui de Lakvik. Des corps désarticulés, meurtris. Un vent glacé agita les bosquets près d'un fossé. C'est de là que provenait la voix. Nous y avons découvert un vieil homme. Il ne bougeait plus, mais ses yeux nous repérèrent tout de suite. Il était facile de voir ce qui provoquait ses gémissements et ses plaintes. Ses deux pieds avaient été brisés avec de grosses pierres. Ses jambes portaient également des traces de coups de couteau. L'homme était très faible et tremblait de tout son corps. Nous lui avons donné de l'eau et un manteau. Il demanda une cigarette. Fumer le calma un peu. Lentement, il nous expliqua ce qui s'était passé après nous avoir dit son nom. Djano Bojovitch.

Tout porte un nom, me disait mon père. La beauté, la bonté, mais aussi l'horreur et l'odieux. Les mots prononcés par le vieil homme se suffisaient à eux-mêmes. Depuis la fin de la Seconde Guerre mondiale, des querelles ethniques couvaient en Espora et en Bordénie. Des frontières créées artificiellement et maladroitement par les puissances victorieuses n'avaient fait que calmer temporairement le jeu. Ces conflits avaient été attisés pendant presque trente-cinq ans. Maintenant, c'étaient des brasiers qui s'avéraient incontrôlables et dévastateurs.

La peur se lisait dans les yeux du vieil homme. Il nous regardait comme ses sauveurs, mais pouvions-nous le sauver de quelque chose dont nous ne connaissions ni l'origine ni l'ampleur? Je ne savais pas ce que pensaient les autres. Sans doute voulaient-ils savoir comme moi où se trouvait maintenant la horde d'assaillants. Il fallait rentrer le plus tôt possible au campement.

Nous sommes retournés au camion, Peter et Marcello transportant Djano à bout de bras. Lorsque nous avons voulu le faire asseoir à l'avant dans la cabine, il a protesté et a voulu monter dans la caisse avec les couvertures, les cordages de trapèze et les accessoires de cirque. Lentement, nous avons roulé sur la route qui était toujours déserte. J'essayais de réfléchir à ce qui venait de se produire, tentant de rétablir les faits de façon logique et réaliste, mais trop d'idées se bousculaient dans ma tête. Peu à peu, une pensée gagna sur les autres. Une guerre ethnique, c'est comme un brouillard épais; c'est froid et glacé, insaisissable et sournois. À la fois partout et nulle part. C'était ce qui nous attendait.

Mélaine

Mélaine Blondin était une jolie jeune femme enjouée et allumée de trente-trois ans, qui n'admettait pas la médiocrité, l'ignorance et la médisance. Journaliste réputée, elle était un modèle d'intégrité et d'honnêteté, et ce, malgré les multiples influences qui caractérisent le milieu des médias. Affectée depuis une dizaine d'années à divers dossiers chauds, surtout dans les domaines sociaux et économiques, Mélaine s'était peu à peu limitée au domaine culturel, une terre de prédilection pour son amour des arts et des différentes cultures. Mais Mélaine n'acceptait pas n'importe quoi à n'importe quel prix. Elle était difficile, et les assignations qui lui étaient proposées devaient répondre à certains critères précis. Elle rejetait systématiquement les sujets insignifiants dont tout le monde parlait.

Le dernier article de Mélaine avait intrigué Maxence Labrecque, le rédacteur en chef du journal pour lequel elle travaillait depuis trois ans. Maxence s'était posé des questions à propos de l'émotivité de Mélaine dans tout ce qui touchait son travail. Mélaine pouvait disparaître pendant des semaines et devenir tout à fait fantomatique. Elle se donnait corps et âme et faisait preuve d'une énergie qui semblait inépuisable. Lorsque la période de rédaction prenait fin, elle se pointait au journal un beau matin et annonçait: «Voilà, c'est fini.»

Quelques semaines passaient, elle refaisait le plein d'énergie et d'idées, se permettait quelques soirées mondaines, quelques martinis, et hop, elle se lançait dans une nouvelle aventure. Elle se présentait alors dans le bureau de Maxence, lumineuse et survoltée, puis annonçait sa nouvelle idée de reportage.

Mélaine était ainsi. On pouvait ne pas l'aimer, mais elle ne laissait personne indifférent. Elle était respectée dans le milieu. Ses nombreux prix et distinctions en faisaient foi. Mélaine ne courait pas derrière des sujets à la mode. Elle les créait. Mais cette fois-ci, le sujet du *Cirque des ombres* semblait l'avoir touchée plus qu'à l'habitude. Interrogée à ce sujet, elle restait vague, disant que ce projet était difficile, complexe et exigeant. Mais elle ne bernait personne, surtout pas les rares amis proches qu'elle avait. Peu d'entre eux connaissaient le véritable passé de la jeune femme. Peu savaient que Mélaine Blondin n'était pas son vrai nom.

Le Cirque des ombres était ce nouveau spectacle qui s'arrêtait à Montréal pour une dizaine de représentations. Montréal constituait la première escale d'une grande tournée nord-américaine et les spectacles qui avaient été présentés un peu partout en Europe avaient fait salle comble et avaient recueilli les éloges unanimes des critiques et des spectateurs. C'était donc un événement très attendu, autant des journalistes que des passionnés de cirque.

Albert Sapieja était le créateur du spectacle *Le Cirque des ombres*. Il l'avait conçu de toutes pièces afin de rendre hommage à tous ceux et celles qui, comme lui, avaient connu la guerre ethnique en Espora. Ancien acrobate et fondateur du Cirque des montagnes Bleues,

Albert frisait maintenant la mi-soixantaine. Il avait encore une énergie qui faisait l'envie de plusieurs personnes. Mais malgré la visibilité des derniers mois, il demeurait discret, franc et généreux. C'était sa marque de commerce. Albert Sapieja était un artiste de cirque, mais également un survivant.

La rencontre

Lorsque je contactai Albert Sapieja et que je lui proposai de faire un reportage sur lui, il me demanda du temps pour réfléchir. Du temps, il s'en est effectivement écoulé avant qu'Albert me dise qu'il acceptait. Un rendez-vous fut fixé dans le Vieux-Montréal, près de l'endroit où allait être monté le grand chapiteau du *Cirque des ombres*. Avant de rencontrer Albert, j'étais très nerveuse, un peu comme à mes débuts. Je n'arrêtais pas de penser à la façon de structurer le reportage. En fait, ce que j'attendais d'Albert, c'est qu'il soit le témoin privilégié d'une histoire porteuse de vérité et d'espoir. Je voulais que la résilience et le courage d'Albert et des siens soient mis de l'avant et qu'on se souvienne d'eux comme d'artistes ayant fait de leur art et de leur talent un outil de survivance en temps de guerre. L'art n'avait-il pas déjà servi la cause de la justice et de la liberté ? C'est la pratique de l'art qui avait permis à plusieurs humains de rester en vie. C'était un troc. L'art pour la vie... La vie pour l'art. Mais ce troc avait aussi représenté la mort pour plusieurs artistes. C'était un pari... risqué.

Je n'eus pas vraiment le temps de chercher Albert car dès mon entrée dans le café, je l'aperçus, assis à une table qui faisait face à l'entrée. Il avait déjà les yeux fixés sur moi. Albert se leva et me donna une poignée de main franche et généreuse, comme je les aime. Ses yeux étaient noirs et profonds, comme une forêt peuplée d'elfes et de lucioles. Quelques secondes d'hésitation m'empêchèrent de parler. Lorsque finalement je me décidai, j'eus l'impression de sauter en parachute. J'étais comme happée par quelque chose de plus grand que moi. Je profitai donc de ce moment d'ivresse et lui soufflai : « Je suis très heureuse que vous ayez accepté, monsieur Sapieja... Vraiment très heureuse ». Albert me regarda attentivement. « Tout le plaisir est pour moi... »

Il sourit. Le serveur s'approcha. Albert commanda un scotch et moi une limonade. J'en profitai pour sortir mon bloc et mon dictaphone. Il avait l'air de se demander si j'étais la bonne personne à qui confier son histoire. Choix qu'il semblait ne pas encore avoir fait. Avant de commencer l'entrevue, je demandai à Albert de voir les photos dont il m'avait parlé lors de notre conversation téléphonique. Lentement, Albert les a mises sur la table. Sur la première, on voyait un homme dans la jeune trentaine, le regard perçant et brillant. Derrière lui, un petit chapiteau dont les lettres bleues et noires se détachaient nettement sur la toile blanche : Cirque des montagnes Bleues. Sur les autres photos, on voyait des artistes de la troupe entourant Albert, puis en train de répéter leurs numéros, de s'activer à des travaux de montage, de nettoyage, de construction. Sur toutes les photos où apparaissait Albert, ce dernier ne souriait pas, ou presque. Mais son visage exprimait une grande confiance ainsi qu'une certaine sérénité. On sentait également qu'il entretenait une relation privilégiée avec la personne qui photographiait. Je lui demandai alors si Anna était présente à ce moment-là. Albert sourit et regarda une photo.

— Oui, dit-il, derrière la caméra.

— Ah, je vois, dis-je.

— Qu'est-ce que vous voyez?

— Je vois un homme heureux et amoureux.

— Oui, je l'étais énormément, ajouta Albert, le regard vague.

— Excusez-moi... Je ne voulais pas parler de ça... Du moins, pas tout de suite.

Albert but une gorgée de scotch et sourit.

— De toute façon, c'était il y a bien longtemps. Je me suis habitué à aborder ces sujets... mais malgré cela, je ne contrôle pas toujours la façon dont je réagis lorsque je parle de cette époque...

Je regardai une autre photo sur laquelle on voyait Albert et Anna qui s'embrassaient sur un banc de parc devant la mer.

— Et maintenant, êtes-vous encore heureux?

— Oui... mais ce n'est plus le même genre de bonheur... Tout a changé... Tout a tellement changé, répondit Albert en reprenant ses photos.

Il me regarda alors directement dans les yeux.

— Qu'attendez-vous de moi exactement?

Cette question me surprit, mais je ne perdis pas pied.

— Eh bien, je veux savoir qui vous êtes, ce que vous avez été... Je veux tout simplement savoir qui est Albert Sapieja. Sans fard ni détour.

— Je peux tout vous raconter... ou presque, dit-il en souriant.

— D'accord. Je commencerais peut-être par vous demander ce que représente *Le Cirque des ombres*? D'où vient le nom?

— Hum... eh bien en cherchant un nom pour notre spectacle actuel, Miljenka a parlé de fantômes, de revenants, d'êtres qui ont de la difficulté à exister vraiment. L'idée a trotté dans ma tête et j'ai pensé à ce que nous avions été pendant la guerre. Nous n'étions pas vraiment des humains, nous étions des ombres, nous n'existions que dans la noirceur, car nous ne valions plus rien. Nous étions l'ombre de ce que nous avions été avant d'être faits prisonniers, mais nous demeurions quand même des artistes de cirque puisque nous donnions des représentations. Quelque mois plus tard j'ai proposé ce nom à mes collègues et d'un commun accord nous avons décidé d'appeler notre spectacle *Le Cirque des ombres*.

— Est-ce que le nom exprime bien l'âme de ce cirque?

— Oui... *Le Cirque des ombres* est un témoignage, une façon de transmettre notre message.

— De l'art engagé alors?

— Oui, si on veut. Mais je sais que les cirques engagés ne sont pas légion. Au départ nous ne visions pas de profits ni une expansion démesurée. Nous voulions rappeler aux gens que la guerre peut engendrer quelque chose de plus grand que nature et que l'art du cirque peut également être porteur d'espoir. *Le Cirque des ombres* représente un engagement social et politique par rapport à la guerre ethnique entre la Bordénie et l'Espora, et à tout ce qui a péri et a pu renaître sous notre chapiteau. C'est la preuve que tout n'a pas été vain et que la lumière a succédé aux ténèbres.

— Et vous faites partie de la lumière maintenant?

— Je crois. Mais ce n'est pas facile. La noirceur est toujours très près de moi. Elle me guette et attend que je baisse ma garde. Mais je n'ai pas toujours été ainsi…

— Qui avez-vous été alors?

— Un artiste de cirque.

Albert

Je suis né à Pavoly dans le sud d'Espora, dans une région montagneuse sauvage située près des nouvelles frontières de la Bordénie. Celles qui ont été établies peu après la fin de la Seconde Guerre mondiale. Mon enfance s'est déroulée dans une relative paix sociale. Nous n'étions pas riches, et le pays était à rebâtir. Mais nous ne manquions de rien. Et c'est ce qui comptait le plus. Mes parents étaient musiciens. Ils jouaient dans l'Orchestre national d'Espora. C'étaient des passionnés de musique, bien sûr, mais aussi de théâtre, de danse, de littérature et de cinéma. Nous avions perdu beaucoup de livres pendant la guerre. En fait, ils avaient servi à nourrir le feu parce que nous manquions de bois. C'est ce que mes parents m'ont dit, mais mon frère plus âgé soutient qu'ils en ont vendu quelques-uns... les plus précieux... pour acheter de la nourriture et du bois.

Je n'étais pas très vieux lorsque j'ai vu un cirque pour la première fois. C'était dans un livre d'images. J'ai tellement regardé et lu ce livre que les pages s'émiettaient. C'est à ce moment que j'ai commencé à faire des culbutes et à sauter partout comme un kangourou. Après avoir demandé la permission à mon père, j'ai même installé un fil entre les branches de deux vieux arbres dans la cour. Chaque jour ou presque, je m'exerçais à marcher sur mon fil. Je faisais aussi des acrobaties au sol au grand désespoir de ma mère qui soignait mes blessures lorsque je tombais ou que je ratais une culbute. Combien de fois m'a-t-elle dit d'arrêter de faire le clown? Mais je continuais seul, pour le plaisir peut-être et avec une petite idée derrière la tête. Ça, personne ne le savait.

C'est à ce moment que mon frère Mathias intervient. J'avais alors treize ans. Il en avait dix-neuf. Mon frère était menuisier, bricoleur et ferblantier. Il ne manquait pas de travail, d'autant plus que le développement s'était emparé de notre petite ville. Un jour, il m'annonça qu'il avait des structures à construire pour un cirque. Je tendis l'oreille. Il m'informa que le Grand Cirque d'Espora avait choisi d'établir ses quartiers d'hiver à Choslow. Il s'arrêta de parler et attendit ma réaction. Avec un sourire en coin, il me demanda si je voulais l'accompagner, histoire de voir un cirque de près. C'était comme demander à un chimpanzé s'il voulait des bananes. J'étais fou de joie. Dans les jours qui ont suivi, j'ai attendu fébrilement que mon frère se manifeste. Mais il avait disparu. Mon père m'informa que mon frère avait été recruté par une grande firme de construction en Algérie et qu'il était parti en vitesse, sans avoir le temps de me dire au revoir. J'ai dû sembler sur le point de m'évanouir, car mon père me demanda si ça allait. Malgré moi, j'ai commencé à pleurer. J'avais un peu honte, mais je ne pouvais pas m'arrêter. J'étais inconsolable. Ce que je ne savais pas, c'est que mon frère avait prévenu mon père de l'arrivée du Grand Cirque d'Espora à Choslow. Il lui avait dit qu'il était censé m'emmener avec lui. Et mon père m'annonça qu'il allait le faire à sa place. Je me rappelle très bien cette journée-là. Je sautai dans ses bras en riant comme un hystérique.

Mon père faisait souvent la navette entre Pavoly et Choslow. Il m'emmenait avec lui chaque fois qu'il lui était possible de le faire. Le programme était sensiblement le même à chaque visite. Je m'installais dans les gradins, sur une botte de foin, sur des planches, par terre, partout où je pouvais voir les artistes à l'œuvre. Certains membres de la troupe m'ignoraient complètement, mais ça m'était égal, car plusieurs autres (surtout des femmes) s'étaient habitués à ma présence et me faisaient des clins d'œil, me donnaient un reste de sandwich et, surtout, me permettaient parfois de m'exercer avec les cordes raides, les trampolines ou autres accessoires lorsque les membres de la troupe ne les utilisaient pas. Mon père suivait tout cela d'un œil espiègle. Il savait que j'avais certaines aptitudes, mais il ne se doutait pas que lentement je prenais de l'expérience et acquérais de la confiance. Tellement qu'un jour, le directeur du cirque me dit que j'avais du talent et que je devais songer à trouver une personne pour m'enseigner tout ce que je ne savais pas. J'étais très heureux d'apprendre que je n'étais pas aussi mauvais que je le croyais. Quelques mois passèrent et mon père m'annonça qu'il ne pouvait malheureusement plus me véhiculer, car il devait partir en tournée pendant quelques mois. Ma mère était malade, et je devais rester à la maison pour m'occuper d'elle. Je fus terriblement attristé par cette nouvelle. Mais ces quelques mois sans visiter le cirque me confortèrent dans l'idée que si je voulais vraiment devenir acrobate, je n'avais plus d'autre choix que de me trouver un cirque qui voudrait bien de moi.

Mon père fut de retour au bout de trois mois, et c'est à peu près au même moment que j'appris que le Grand Cirque d'Espora partait sur la route pendant plusieurs mois. Je sus que c'était le moment ou jamais. Je fis part de mon idée à mon père. J'avais seize ans, j'étais assez vieux pour partir à l'aventure, d'autant plus que je pouvais être nourri et logé, donc ma mère n'avait pas à s'inquiéter de me voir devenir un itinérant dormant dans les prés et sous les clochers d'églises. Je démontrai que j'avais ce qu'il fallait pour être un acrobate, mais à la condition que quelqu'un me prenne sous son aile. Sans cela, ça ne donnerait jamais rien. Mon père n'était pas totalement contre l'idée, mais avant de crier victoire, il fallait consulter ma mère. Il m'annonça que pour avoir un dossier solide, je devais avoir l'avis d'un professionnel. Il me proposa donc d'aller rencontrer le directeur du Grand Cirque d'Espora. Mes yeux durent pétiller car mon père me dit de ne pas m'imaginer que cela voulait dire que je partirais le lendemain. J'esquissai un large sourire et lui dit que je comprenais très bien ce que nous allions faire là-bas. Nous allions chercher un avis. Sans plus.

Cela faisait plusieurs mois que je n'étais pas allé au Grand Cirque d'Espora et je sentis des papillons dans mon estomac. Les gens me saluèrent et me demandèrent pourquoi je ne venais plus les voir. Je n'eus pas vraiment le temps de discuter, car déjà mon père m'entraînait vers le bureau du directeur, Maurice Tasso. De but en blanc, il lui raconta ce que j'avais en tête. En fait, il voulait savoir si j'avais le potentiel pour faire une carrière d'acrobate. Le directeur me regarda longuement et me demanda si j'étais prêt à lui faire une démonstration. Je balbutiai que je n'avais pas mes vêtements, mais cela ne sembla pas être un problème, car il en trouva à ma taille. Nous suivîmes le directeur qui alla cogner à la porte d'une roulotte qui n'était pas identifiée comme les autres. Un homme assez petit et filiforme ouvrit la porte. Je le reconnus immédiatement. Il s'agissait de Sato, l'un des plus grands acrobates de l'histoire du cirque européen. Je crus défaillir. Maurice lui parla quelques instants en me présentant. Je savais que mon destin reposait désormais entre ses mains, car c'est lui qui allait être le juge de mes pirouettes.

Parfois dans la vie, il y a des instants qui nous semblent intemporels. Comme une abstraction. Les minutes qui suivirent appartenaient à cette catégorie. Je ne voyais plus rien d'autre que le vide autour de moi. Il n'y avait aucun spectateur, sinon mon père, le directeur et Sato. J'étais seul, terriblement seul, et je m'exécutai en priant que tout se passe bien. Après une dizaine de minutes, on me cria d'arrêter. C'était Sato. Je descendis de mon perchoir et allai retrouver les juges. Sato me demanda si cela faisait longtemps que je faisais de la voltige. Je lui répondis que non, seulement deux ou trois ans. Il regarda mon père et lui demanda sans détour s'il était prêt à me laisser partir. Mon père en resta bouche bée. Sato lui dit alors que j'étais si bon que ça serait un blasphème de ne pas développer un potentiel comme le mien… Un talent naturel, brut, fluide et sans artifice. Sato mentionna au directeur qu'il s'offrait à être mon mentor. Qu'il le serait tant et aussi longtemps qu'il le jugerait nécessaire, jusqu'à ce que je sois prêt. Le directeur nous sourit en nous rappelant que nous devions faire vite. Le cirque partait dans quelques jours.

Mon père sut trouver les bons mots pour convaincre ma mère du bien-fondé de cette occasion en or. Du bout des lèvres, ma pauvre mère dit oui. Elle qui n'était déjà pas très forte depuis qu'elle soignait une sérieuse infection aux poumons, trouva le courage de me sourire et de me souhaiter bonne chance. Elle se leva et alla sur le balcon. Je savais qu'elle allait pleurer… Je le savais, mais dans mon insouciance de jeune immortel, cela ne pouvait ébranler ma décision.

Je partis donc avec le Grand Cirque d'Espora à l'été 1964. J'avais seize ans. Mes yeux brillaient de mille feux. Mon cœur explosait. J'allais réaliser mon rêve : devenir un artiste de cirque. C'était le début d'une grande aventure qui n'est pas tout à fait terminée.

Réalité

Ma vie avec le Grand Cirque d'Espora ne fut pas toujours aussi exaltante que je l'avais imaginé. Au début, Sato me faisait travailler comme un fou et m'accordait bien peu de considération. Je me disais que tous les artistes passaient sans doute par là, mais sur le moment, ce n'était ni stimulant ni gratifiant, et cette lourdeur finissait par avoir un impact sur mon humeur, qui devenait de plus en plus mauvaise et désagréable. Mais j'étais fort et je me disais que rien ni personne n'allait me faire renoncer à ce qui m'avait fait partir de chez moi. Sato me dit que mes espérances de vie d'artiste sans tracas étaient des chimères. Même avec un statut d'artiste de cirque confirmé, la vie n'était pas toujours facile. On devait continuellement s'améliorer, se perfectionner et regarder derrière soi pour repérer les jeunes loups qui poussaient et chahutaient en attendant une faille, une erreur ou une maladresse pour prendre notre place. Je rétorquai que je me doutais bien que la vie de cirque comportait des désavantages et des difficultés, mais qu'au moins on avait le privilège de pouvoir faire ce qu'on aimait. Sato me fixa et me dit que la patience était une vertu quasi obligatoire dans le monde du cirque, surtout pour ceux qui aspiraient à s'y faire une place. Il me dit aussi que le temps allait faire son œuvre et que ma place me serait réservée en temps et lieu, mais que ce « moment » n'était pas encore venu. J'avais du talent, oui, un grand potentiel, mais je devais améliorer certains points et me départir de certains travers, notamment de mon impatience et de mon manque de confiance en mes capacités. Il me regarda longuement puis me sourit (chose qu'il ne faisait presque jamais) et me fit un clin d'œil. Sûrement qu'il avait constaté mon amertume et mon abattement et qu'il voulait m'encourager.

À l'automne 1966, après plusieurs mois d'entraînement et de perfectionnement, Sato me dit que j'étais fin prêt pour la grande voltige. Est-ce que cela voulait dire que je pouvais avoir une place dans la programmation du cirque en tant que membre régulier de la troupe ? Ça, il ne le savait pas encore. Mais j'étais sûr qu'il mentait. Le soir même, on sentait comme une frénésie parmi les membres du cirque. Au repas du soir à la cafétéria, on me regardait en murmurant. Certains artistes me souriaient, d'autres me donnaient des coups de coude. En fait, je me demandais bêtement quelle mouche les avait piqués. C'est alors que je vis une apparition. Oui, c'est cela, rien de moins qu'une apparition. Une jeune femme toute blonde et voluptueuse fit son entrée dans la cafétéria. Plusieurs se retournèrent pour la voir marcher aux côtés de Sato qui faisait le paon. Ils prirent la direction du bureau du directeur. Dès qu'elle eut disparu, chacun y alla de ses commentaires. J'appris alors de qui il s'agissait. C'était la nouvelle recrue du cirque : Anna Vizbor. Elle venait de terminer ses classes au Cirque d'État de Moscou et avait accepté l'offre du Grand Cirque d'Espora de joindre la troupe à titre de trapéziste. En entendant cela, je sus que mes heures de quiétude sentimentale venaient de prendre fin. Juste de savoir que cette créature allait nous côtoyer à temps plein me remplissait de sentiments contradictoires.

Quelques heures après le repas, le directeur me fit appeler dans son bureau. Lorsque j'entrai, je remarquai immédiatement la présence de Sato et de la jeune nouvelle. Je faillis fondre. Mon cœur battait la chamade pendant que je m'efforçais en vain d'adopter une attitude désinvolte. Le directeur me présenta alors à la créature sortie d'un film hollywoodien. Elle se nommait bien Anna Vizbor. Elle était trapéziste et acrobate et venait de passer trois ans à Moscou pour y parfaire ses numéros. Il ajouta qu'Anna était bordénienne. Ce qui me fit penser fugitivement à mes montagnes Bleues. Je lui serrai la main et faillis me rasseoir par terre tellement j'étais nerveux. Le directeur se lança alors à l'attaque. Il déballa tout d'un coup. Il m'annonça que Pavel Longuenev (notre trapéziste n° 1) allait nous quitter et rejoindre un cirque au Brésil. Du coup, sa partenaire et compagne de vie Jacqueline partait avec lui. Maurice précisa que ce double départ faisait en sorte qu'il y avait maintenant un grand trou dans le personnel artistique. Il me demanda si je voulais toujours faire partie de sa troupe. Je répondis oui avec enthousiasme, sans me préoccuper outre mesure de ses longs doigts qui pianotaient nerveusement sur la surface polie du bureau. Il me regarda puis se tourna vers Sato qui me fit un clin d'œil. Le directeur se leva et alla chercher un cigare dans un classeur. «Parfait, Albert, dit-il en s'assoyant sur le coin de son bureau et en coupant le bout de son cigare. Je voudrais savoir maintenant ce que tu penses des numéros à deux... Je veux dire homme-femme. Est-ce que ça te plairait ou préfères-tu les solos ? » La question me fit l'effet d'une bombe. « Je… je… Ça ne me dérange pas du tout… J'ai pratiqué plein de numéros avec les filles de la troupe et je peux m'adapter facilement », répondis-je en transe. Le directeur me sourit et regarda Anna. « Alors, j'ai le plaisir de te présenter ta future partenaire. » Il prit le temps de me laisser digérer l'annonce. « Mademoiselle Anna a été mise au courant de l'offre que je te fais et elle n'y voit aucun inconvénient. Vous aurez du temps pour apprendre à vous connaître et à échanger sur votre art. Si vous vous entendez bien et que vous réussissez à créer un numéro digne du Grand Cirque d'Espora, eh bien, vous ferez vos débuts sur la grande piste pour notre nouveau spectacle l'an prochain. Qu'en dis-tu Albert ? L'idée te plaît ? » Je perdis pratiquement tous mes moyens. « Oui… oui, je suis partant, tentai-je en feignant un relatif contrôle de ma personne. » Le directeur se leva et nous serra la main. « Bien, alors revenez me voir tous les deux demain, et nous allons signer les papiers et préparer la suite des événements. » Je vis qu'Anna m'observait en se rapprochant de moi. En faisant quelques pas pour lui serrer la main, je butai carrément dans les fleurs du tapis et m'affalai presque de tout mon long sur elle. Anna sourit et me serra la main du mieux qu'elle pouvait. Par-dessus mon épaule, je vis Sato qui luttait pour ne pas éclater de rire.

Je ne me rappelle plus sur quelle planète j'étais lorsque je sortis de ce bureau avec Anna. Tout semblait nimbé d'une fine couche de bruine et d'étoiles. Anna me demanda si on pouvait aller faire connaissance dans les gradins du chapiteau. Je balbutiai un oui pathétique et nous marchâmes vers l'extérieur. En parlant avec elle, je devins sûr d'une chose. C'était limpide et clair comme un torrent en hiver. Cette femme allait faire partie de ma vie très longtemps.

Bien des années plus tard, j'ai repensé quelquefois à cet instant marquant de mon existence. Je calculais le chemin parcouru. J'étais désormais le partenaire officiel d'Anna. Nous formions un excellent duo et la chimie avait fait son œuvre entre nous dès le départ. C'est comme ça. Ça peut paraître romantique ou tiré par les cheveux, mais c'est ce qui s'est passé. Bien sûr, il y a eu des obstacles, des disputes et quelques conflits anodins, mais nous étions parvenus à nous apprivoiser et à tisser des liens durables. Nous faisions donc partie de la distribution régulière du Grand Cirque d'Espora, et notre numéro faisait la joie des spectateurs, de la critique et bien sûr de Maurice et de Sato. L'idée d'Anna d'allier la danse, la musique tzigane et le trapèze fut très heureuse. En fait, cette combinaison me convenait parfaitement, puisque j'avais grandi et évolué dans un univers musical et artistique. J'aimais la danse et la musique des pays de l'Est, et ma culture esporienne avait fait le reste. Anna était une danseuse innée et elle réussissait à créer des danses sur trapèze qui défiaient l'imagination. Elle exprimait en émotions intenses tout ce qu'elle ressentait dans ses voltiges et ses mouvements. Dans les airs, on avait l'impression qu'elle était dans son élément naturel tant ses déplacements et ses gestes étaient fluides et gracieux. J'étais un peu plus «brut» et lourdaud. Mais par rapport à Anna, même une hirondelle donnait l'impression d'être gauche. Au début, j'eus de la difficulté à m'adapter à elle. Je devais constamment réaligner le tir pour accorder mes mouvements aux siens. Mais j'étais tenace et capable de me surpasser.

En 1970, tandis que nous en étions à une troisième création pour le cirque, le cœur parla et, de façon naturelle, nous sommes devenus un couple. Cet amour nous guida vers de nombreux autres succès à travers le monde. Nous avions la capacité de réinventer constamment notre art. C'était notre force et Maurice le savait. C'est pourquoi il ne fut pas très surpris de nous voir partir. Malgré notre attachement au Grand Cirque d'Espora, nous devions aller voir ailleurs pour continuer à évoluer.

Pendant quelques années nous avons fait partie de cirques en Asie et en Amérique du Nord. Mais au fil du temps, une idée germait dans ma tête : la création d'un cirque dans ma région natale des montagnes Bleues. Je rêvais d'un cirque bien à nous, à taille humaine, plus marginal. Un cirque qui mêlerait la danse, le théâtre, la musique, les marionnettes et des numéros plus actuels et plus originaux. Un cirque qui nous ressemblerait.

Nous avons fondé le Cirque des montagnes Bleues en 1977. C'était un hommage à la beauté des montagnes qui jouxtent la frontière entre la Bordénie et l'Espora. C'est avec peu de moyens que le cirque a pris forme : une quinzaine de personnes, y compris le personnel de la logistique et de la technique. Le Cirque des montagnes Bleues était représenté par plusieurs nationalités. Mais à la fin de 1979, le climat politique entre l'Espora et la Bordénie devint plus tendu. Certains événements, notamment des mouvements de troupes bordéniens aux frontières esporiennes, allaient marquer le début d'une période de turbulences. Au printemps 1980, alors que nous finalisions la création d'un nouveau spectacle et les préparatifs d'une tournée européenne qui devait commencer en Bordénie, le gouvernement bordénien nous fit savoir qu'il interdisait notre venue à l'intérieur de ses frontières. L'Espora répliqua en expulsant tous les diplomates bordéniens présents sur son territoire. Tout sembla alors au point mort. Il n'y avait pour ainsi dire plus aucune relation diplomatique officielle entre les deux pays. Puis à l'automne 1980, tout explosa. Certains amis et membres de la troupe qui étaient bordéniens durent retourner dans leur pays sous peine de représailles. Anna bien sûr resta avec moi, malgré le danger. Ce fut le début de la folie. La haine ethnique si longtemps contrôlée et refoulée refit surface avec violence. De plus, notre cirque était situé au beau milieu des montagnes Bleues, un territoire qui faisait l'objet de disputes centenaires entre l'Espora et la Bordénie. Nous ne nous doutions pas que cette guerre allait nous frapper de plein fouet.

La fin du jour

Lorsque nous sommes revenus au campement du cirque, plusieurs membres de la troupe nous attendaient, inquiets et pressés d'en savoir plus sur ce qui se passait. Il y avait beaucoup à dire, mais très peu de temps pour le faire. Ce qui m'importait avant tout, c'était de partir le plus tôt possible pour ne pas tomber dans le piège nous aussi. Car même si nous ne comprenions pas pourquoi les soldats bordéniens ne s'étaient pas rendus jusqu'ici, ils pouvaient débarquer à tout moment.

La condition d'Elena me préoccupait aussi. Elle avait perdu beaucoup de sang, et son visage était livide. En fait, c'est d'un médecin dont nous avions besoin, mais dans les circonstances, c'était impossible. Il fallait donc quitter les lieux et aller vers le nord, jusqu'à Pavoly, là où nous pourrions trouver un hôpital, non seulement pour Elena, mais également pour Djano qui était avec nous. Et si ce n'était pas possible, eh bien, on foncerait vers l'Artouge ou la Biélorussie.

Quand je racontai aux autres ce que nous avions vu, l'inquiétude et la peur se manifestèrent sur les visages. J'en profitai pour dire que nous n'avions pas de temps à perdre et qu'il fallait partir sur-le-champ en laissant tout derrière nous. Plusieurs membres de la troupe maugréèrent. Peter fut le premier à annoncer ses couleurs : «Pourquoi partir en laissant ce qui nous importe le plus au monde... On n'est même pas sûrs qu'ils vont venir ici. À votre place, moi je resterais, puis je les attendrais. On est quand même capables de se défendre, non ?» Éloi Blondin, notre Québécois de service, l'homme fort de la troupe, manifesta son accord avec Peter : «Oui, pourquoi partir ? Moi je ne suis pas prêt à fuir la queue entre les jambes sans avoir livré bataille.» Anna le regarda avec tendresse, appréciant sa fougue et sa témérité. «Éloi, nous ne sommes pas seuls, il y en a plusieurs qui ont peur et qui ont besoin de sécurité. Tu ne peux pas forcer tout le monde à rester parce que toi tu considères cette option comme étant la meilleure... Et toi, Peter, pense à Elena. C'est ta sœur et elle a besoin de soins. Tu le sais. Anna me regarda et me prit la main. On a des enfants avec nous... Notre priorité c'est de les protéger. Eux et nous aussi d'ailleurs.» À ce moment-là, j'ai senti qu'ils étaient peut-être nombreux à penser comme Peter et Éloi, mais il était hors de question de renoncer à partir. J'ajoutai que de toute façon, on ne savait pas du tout ce qui allait se passer, et que ce départ pouvait être temporaire, le temps de voir la suite des événements. Marcello bouillait d'impatience et éleva la voix : «Bon, c'est bien beau tout ça, mais si on est pour partir, ben faudrait peut-être commencer à se bouger le cul. On peut quand même pas s'en aller seulement avec une brosse à dents puis des bobettes. On a des choses à préparer.» Les uns acquiescèrent, les autres se résignèrent, mais c'est Marcello qui eut finalement le dernier mot. Tous et toutes se dirigèrent le cœur serré vers leur roulotte en se préparant mentalement à quelque chose qu'ils n'auraient jamais pu imaginer faire un jour : abandonner le cirque.

En quelques heures, nous étions prêts. Tous les véhicules disponibles avaient été chargés, mais la panique s'empara de ceux qui constataient qu'il n'y avait pas assez de véhicules pour transporter tout le monde. De fait, avant le début de la fameuse tournée qui avait été annulée, nous avions décidé de vendre nos fourgonnettes dans l'intention de les remplacer par des camions plus récents. Nous étions donc à court de moyens de transport. Par chance, nous avions le gros camion six tonnes à cabine couverte. C'est dans ce camion que nous avons installé Elena, Djano et les enfants. C'était la pagaille et la folie chez les petits et ceux qui n'arrivaient pas à garder leur sang-froid. On a toujours l'impression que les artistes de cirque, en raison de leur métier, sont des gens qui ne paniquent pas face à des situations d'urgence. Mais c'est un mythe. Nous sommes tous humains.

Lorsque le crépuscule tomba derrière les montagnes Bleues, nous étions prêts à partir. J'étais en train de vérifier la porte arrière du camion quand j'entendis Marcello derrière moi me dire tout simplement: «Ils arrivent.» Je me tournai et aperçus des phares au sommet de la colline aux Hiboux. Un premier véhicule commença à descendre la colline en se dirigeant vers nous. Il fut suivi de plusieurs autres. Ce fut comme un coup de massue lorsque je vis que c'étaient des véhicules militaires. Étrangement, je me mis à compter le nombre d'hommes et de femmes de la troupe qui pouvaient se battre si la situation l'exigeait. Marcello me regarda et sembla partager ma pensée, car il me dit tout bas que sa carabine était dans son camion, à l'avant. Je vis alors Anna qui s'approchait de moi. Elle me prit la main et je sentis que mes neurones se calmaient. C'était son pouvoir et, me connaissant, elle s'en servait souvent. Peter se rapprocha de moi, sur le qui-vive : « Qu'est-ce qu'on fait ? » murmura-t-il. « Qu'est-ce que tu veux qu'on fasse ?… Qu'on se mette à courir comme des lapins ? Ils vont nous abattre un par un en deux temps trois mouvements, répondis-je. On n'a plus qu'à attendre et à voir ce qu'ils veulent. »

La discussion ne put se poursuivre, car déjà des militaires sortaient des camions et des jeeps. Tous étaient armés. La plupart des membres de notre cirque étaient maintenant sortis de leurs véhicules. Un silence glacial tomba sur le tableau. Peter et Éloi se tenaient côte à côte. Je savais qu'ils avaient des armes, car tous les deux chassaient. J'espérais seulement qu'ils ne feraient pas les fanfarons, car ce que je savais de l'armée bordénienne, c'est qu'elle n'était pas composée d'enfants de chœur. Je leur fis discrètement signe de rester calme. Un militaire haut gradé s'approcha de nous. Il se présenta comme étant le capitaine Tzalva.

— Qui est le responsable ici ? cria-t-il d'un air hautain.

Je sortis des rangs et marchai jusqu'à lui.

— Moi.

L'homme me détailla du regard, puis pointa du doigt le chapiteau derrière moi.

— C'est toi qui es le patron de ce cirque ?

— Oui, fis-je, m'efforçant d'avoir l'air sûr de moi. Est-ce qu'il y a un problème ?

Il ne répondit pas tout de suite, se contentant de regarder autour de lui nonchalamment.

— Ce sont tous des Esporiens ? lança-t-il soudain.

— Non… Nous avons plusieurs nationalités dans notre troupe.

— Quelles nationalités?

— Espagnol, Italien, Canadien… et Bordénien, répondis-je en le regardant droit dans les yeux.

— Qui est bordénien?

— Moi, je suis bordénienne. Ça pose un problème?

Anna nous prit tous par surprise, car je n'avais pas pensé qu'elle s'identifierait tout de suite. Le chef des militaires regarda le reste de la troupe puis haussa la voix.

— Ceux qui ne sont pas esporiens peuvent partir immédiatement et quitter cette région. Ceux qui sont esporiens restent ici et vont venir avec nous. Nous allons vous conduire en Bordénie. Au camp de travail de Lasso.

Des murmures se firent entendre parmi mes collègues. Le militaire lança des regards autour de lui. À ce moment, deux gros camions six tonnes apparurent sur la colline aux Hiboux. Les militaires qui jusque-là s'étaient montrés discrets commencèrent à s'activer. Anna vint se placer devant le capitaine.

— Peut-on savoir pourquoi vous allez nous emmener?

Le chef la toisa d'un air étrange.

— Toi, tu peux t'en aller si tu veux ou venir avec nous, mais dans ce cas n'espère aucun traitement de faveur.

Anna ne fut pas longue à réagir, et j'eus peur qu'elle ne mette le feu aux poudres.

— Je n'en veux aucun, surtout pas de la part de gens de votre espèce.

Le militaire regarda Anna en souriant.

— Mon espèce, comme vous le dites madame, a toujours considéré ce territoire comme étant bordénien. Ce sont des décisions étrangères qui vous ont permis de vous installer ici et d'y vivre comme si vous étiez chez vous, mais ce n'est pas le cas. Ces terres nous appartiennent et, maintenant que les années de docilité sont terminées, nous les reprenons, que ça vous plaise ou non, ajouta-t-il d'un ton sec et froid.

Anna ne répliqua pas, à mon soulagement. Tous étaient silencieux et abasourdis par ce que venait de dire cet homme, qui semblait sortir tout droit d'un roman de Kafka. Le chef s'adressa alors à sa troupe :

— Fouillez-moi tout ce beau monde, fouillez partout, trouvez-moi les armes, les pièces d'identité et assurez-vous qu'ils n'apportent avec eux que le strict minimum… On ne s'en va pas dans un camp de vacances.

Le militaire sourit et regarda notre camion de six tonnes. Il s'en approcha et vit que la bâche était attachée. Peter et Éloi voulurent s'interposer au moment où il tentait de retirer la bâche. Il les nargua :

— Qu'y a-t-il à l'intérieur, des poulets, des filles, du bon vin ?

Il regarda Peter et Éloi et fit signe à ses hommes de venir au camion.

— Ou des armes ?

Je m'avançai vers lui, faisant signe à mes jeunots de rester calmes.

— Non, c'est l'une des nôtres. Elle est blessée et très souffrante.

Peter fit, les yeux noirs de colère :

— C'est votre bande de salauds qui lui a fait ça…
Vous trouvez sûrement ça drôle de vous attaquer à plus
faible que vous… Mais pas moi.

J'essayai de calmer le jeu en mentionnant que cette
jeune fille avait besoin de soins et que nous comptions
sur leur bonne volonté pour nous trouver un médecin.
Le militaire se rapprocha de Peter, qui le dépassait au
moins d'une tête et demie, mais l'autre avait le pouvoir des armes et semblait invincible :

— Je ne veux pas me montrer désagréable, mais
tout acte de protestation ou de rébellion aura des conséquences pour tous les autres. Je ne veux pas de bain
de sang, mais je vous jure que je n'hésiterai pas une
seconde à abattre le premier qui nous témoignera des
signes d'hostilité. Contenez vos amis, c'est votre responsabilité, pas la mienne, ajouta-t-il en s'adressant à
moi. Faites-moi voir ce qu'il y a dans ce camion.

Je lui obéis en relevant la bâche à l'arrière. Il monta
à l'intérieur, vit Djano et Elena qui dormaient à poings
fermés.

— Nous allons réquisitionner ce camion… Vous
pourrez les laisser là le temps du voyage, dit-il en
posant le yeux sur Elena.

Étrangement, j'étais reconnaissant envers cet
homme. Oui. Le moindre geste d'humanité lors d'événements absurdes comme ceux-ci devient louable.
Tzalva donna des ordres à des subalternes, puis me prit
par le bras et m'entraîna vers sa jeep.

— Vous comptiez sûrement détaler comme des
lapins ? demanda-t-il, un sourire accroché à son visage.

— Nous n'étions sûrement pas pour vous attendre, répondis-je du tac au tac.

— Non… non, effectivement… mais nous savions que vous étiez là… et que vous ne pourriez pas partir rapidement.

— Pourquoi ne pas nous avoir exécutés comme ceux que nous avons vus un peu partout autour d'ici?

— Disons que je n'ai pas le contrôle sur tout ce qui a pu se passer aujourd'hui. Il y a plusieurs unités dans la région, et ma mission était de venir vous cueillir avant que vous nous faussiez compagnie.

— Pourquoi… Qu'est-ce que nous avons de spécial?

— Ce n'est pas moi qui décide de votre sort. J'obéis aux ordres. Et ils viennent de beaucoup plus haut. Alors pour l'instant, tout ce que je peux vous dire, c'est que nous vous amenons à Lasso.

Tzalva me laissa sur ces mots. Je le regardai s'éloigner en songeant que tout cela aurait pu être évité si les Bordéniens et les Esporiens s'étaient vraiment parlé et compris au fil du temps. Mais le fossé qui existait entre nos deux peuples s'était agrandi et nous allions devoir payer le prix de l'incompréhension et de la peur de l'autre.

À partir de là tout alla très vite. Je fis savoir à ceux et celles qui n'étaient pas esporiens qu'ils étaient entièrement libres de partir et de ne pas nous accompagner. Je sentis que certains étaient déchirés entre le désir de ne pas nous laisser tomber et celui de vivre. Parmi les artistes du Cirque des montagnes Bleues, il y avait deux familles venues d'Espagne et une autre d'Italie. Ces hommes et ces femmes avaient des enfants et me firent savoir que ce n'était pas de gaieté de cœur qu'ils ne nous accompagneraient pas. Je leur répondis qu'ils n'avaient pas à s'excuser, que c'était là un réflexe naturel. La vie est plus forte que tout, et la mort, quoique symbolique pour l'instant, n'avait aucun attrait pour des humains qui ne pouvaient subir par pure compassion la violence et la haine qui nous étaient destinées en tant qu'Esporiens.

En quelques minutes, tout était prêt. Les hommes et les femmes montèrent dans les véhicules militaires, emportant quelques bagages. Les enfants se dirent adieu en ne comprenant pas pourquoi on se séparait ainsi. Puis ce fut le tour des adultes. Plusieurs pleurèrent, d'autres ne pouvaient pas. La colère est un profond anesthésiant pour la douleur et la tristesse. Tous ne réagissent pas de la même façon devant l'inéluctabilité du destin. Lorsque le convoi se mit en route, ceux qui le pouvaient firent des signes d'adieu à ceux qui restaient. Je me rappelle très bien avoir saisi un regard, celui de Paolo, notre funambule italien. Il était là, tenant la main de sa femme et de sa petite fille. Dans ce regard, il y avait une certitude, celle d'une brisure. Jamais plus les choses ne seraient comme avant, principalement parce que certains d'entre nous allaient disparaître, sans laisser d'autres traces que celles de pneus sur un sol sablonneux. Un simple passage.

Mise au point

Albert leva des yeux fatigués vers moi, et je compris qu'il voulait mettre fin à l'entrevue. J'appuyai sur le bouton arrêt du dictaphone et m'attardai à regarder mon interlocuteur qui semblait perdu dans ses pensées. Plusieurs secondes s'écoulèrent avant que l'un de nous deux parle. Je respectai ce silence. Il n'était pas gênant, à la rigueur il était apaisant. Albert revint de son voyage intérieur et sourit.

— Vous vous attendiez sûrement à plus de détails ?

Je fus sur le point de dire non, mais je me ravisai, essayant d'être la plus transparente possible.

— Oui, j'aurais aimé que certaines parties soient plus détaillées… La rencontre, par exemple. Vous me laissez un peu sur ma faim.

Albert inspira profondément et joua avec un crayon sur la table.

— Je ne veux pas que ma vie soit le point central de cette histoire, ce n'est pas ainsi que je vois les choses… et je ne suis pas un romancier. Ce qui compte pour moi c'est qu'il y ait une ligne directrice, et cette ligne c'est ce qui s'est passé dans le camp et après.

Albert me regarda droit dans les yeux.

— Si vous vous attendiez à un roman-fleuve avec des détails à n'en plus finir, vous allez être déçue. Ce que je vous raconte est à l'image de ma mémoire, il y a des parties que j'ai oubliées et d'autres que je veux oublier.

— Je crois que c'est normal d'avoir des attentes et de les confronter avec la réalité, rétorquai-je.

— Oui, et c'est ce qui se passe maintenant.

— Je vous suis très reconnaissante de me livrer ce témoignage et je comprends qu'il y a sûrement une partie de ce que vous avez vécu qui demeure secrète, et je le respecte, mais je veux que vous restiez vous-même et que vous ne changiez rien à ce que vous racontez ni à la manière de le faire.

— Ce que je veux que vous compreniez, c'est que je ne veux pas m'attarder sur des détails inutiles, je veux aller à l'essentiel, aller là où ça compte. Vous me comprenez?

— Oui, très bien, répondis-je.

En sortant du café, Albert me serra longuement la main. Il me quitta en souriant. En marchant vers ma voiture, je pensai à son regard. J'avais l'impression que je ne pouvais rien lui cacher. Il le savait, mais n'en abusait pas. J'en étais sûre, Albert sentait qu'il y avait quelque chose de secret dans ma volonté de porter ce témoignage sur mes épaules. Et tôt ou tard, il découvrirait pourquoi.

Le déluge

La nuit était tombée lorsque le convoi se mit en marche. Personne ne parlait dans le camion. Je savais que nous allions en Bordénie, mais la destination exacte m'était inconnue. Nous foncions dans la nuit et, pour la première fois de ma vie, j'avais vraiment peur, peur des ténèbres. La pluie commença quelques minutes après le coucher du soleil. Une pluie dure qui tambourinait sur le toit du camion. À l'intérieur, il faisait sombre, car il n'y avait qu'une petite ampoule qui valsait au gré des cahots. Mais c'était bien comme ça, il n'y avait rien à voir d'autre que la tristesse, la colère et la peur. Une dizaine de personnes se trouvaient dans notre camion. Il y avait Anna, moi, Zosia et Herman et leurs deux enfants, Peter, Agnès l'équilibriste brésilienne, Annabelle et Marcello, Elena et finalement Djano, le vieil homme que nous avions trouvé dans un champ sur la route de Lansalé.

Annabelle avait insisté pour s'asseoir à côté d'Elena et de Djano afin de veiller sur eux. On les avait couchés sur des bâches et des couvertures au milieu du véhicule pour qu'ils ne soient pas trop secoués par les amortisseurs en fin de vie de mon camion. Ce n'était pas ce qu'il y avait de mieux mais c'était miraculeux d'avoir ce confort dans les circonstances. Elena était profondément endormie et semblait aller mieux, mais

Djano dépérissait à vue d'œil. Il était livide et couvert de sueur. Je lui fis passer une bouteille d'eau qu'Annabelle utilisa pour humecter un linge et éponger son visage. Je savais qu'il aurait du mal à terminer le voyage, mais je n'en parlais pas. Je fermai les yeux quelques instants. Je tentais de me calmer, mais c'était quasi impossible. Les pensées tournaient dans ma tête comme des hamsters dans leur roue. C'était infernal. Anna dut sentir ma nervosité car elle me serra la main en se penchant vers moi. Elle frissonnait. Je mis ma veste sur ses épaules et cela sembla la réconforter. Je savais qu'elle était effrayée et angoissée, mais elle se contrôlait très bien. Anna était ainsi. Elle pouvait dissimuler ses sentiments et ses états d'âme, chose que j'arrivais difficilement à faire.

Les heures passèrent. Je n'arrêtais pas de penser au petit bout de vie qui flottait dans le ventre d'Anna. Six mois déjà, et ça ne paraissait pas beaucoup. À peine un petit ventre et des hanches un peu plus arrondies. Ma compagne était grande et mince, et elle me disait souvent que sa mère avait perdu tout le poids gagné après l'accouchement. Elle allait sûrement suivre sa trace. Anna n'était pas très volubile quant à son état. Tout juste si elle en avait parlé à Annabelle, sa meilleure amie. Elle me disait qu'elle voulait être certaine que le fœtus était bien accroché avant de répandre la bonne nouvelle, et étant donné qu'elle avait déjà fait une fausse couche à la treizième semaine, elle ne voulait pas répéter la même erreur et annoncer quelque chose qui n'était pas sûr. Plus je regardais le ventre d'Anna dans ce camion lugubre, plus j'avais peur, peur que la folie humaine ne brise une vie avant même qu'elle n'éclose. Je pensais également à Éloi Blondin, notre Québécois. Je savais qu'il ne voulait pas trop en parler, mais sa sœur Mathilde vivait avec un militaire bordénien depuis des années. Lorsque Éloi et Mathilde étaient venus en Europe au milieu des années 70, ils s'étaient séparés après quelques mois de voyage ensemble. Mathilde était partie de son côté et avait voyagé plusieurs mois en Europe de l'Est et en Asie pendant qu'Éloi visitait l'Italie puis s'attardait en Espora. Il n'en était jamais reparti, sauf pour deux petits voyages au Québec pour les Fêtes. Mathilde avait rencontré un militaire bordénien à Prague lors d'un spectacle du Cirque des montagnes Bleues (le premier spectacle avec Éloi) et l'avait suivi en Bordénie où il s'étaient fiancés. Depuis, Éloi les avait visités à quelques reprises. Il avait donc eu l'occasion de rencontrer le fiancé de Mathilde. Il s'avérait que c'était un militaire assez rustre qui n'était pas spécialement en amitié avec les Esporiens, mais il semblait très prévenant, doux et généreux envers Mathilde, et c'était ce qui importait à Éloi. Depuis, une petite fille était née de cette union, Ksenia, qui devait avoir deux ans, mais Éloi n'avait pas encore eu la chance de la voir. Même si personne n'en parlait, nous savions qu'Éloi devait s'inquiéter énormément pour sa sœur et, avec ce qui se passait maintenant, il n'aurait sûrement pas beaucoup d'occasions d'avoir de ses nouvelles. Mais ce qui me préoccupait le plus était de savoir que le fiancé bordénien de Mathilde était devenu un ennemi. Il se pouvait même que ce militaire fasse partie de ceux que la troupe allait rencontrer dans les prochains jours. Éloi l'avait bien croisé à quelques reprises, mais il ne devait pas s'en souvenir d'une façon précise. Je me dis que j'attendrais un peu avant de lui parler de tout ça. Mais le regard d'Éloi en disait long sur son état d'esprit. Lui qui était d'habitude si enjoué, calme et positif, était devenu franchement taciturne et morose.

Je me rappelle que cette nuit dans le camion fut très longue. J'étais le seul à ne pas avoir cédé au sommeil, car même Anna dormait paisiblement, recroquevillée sur elle-même avec en guise d'oreiller un bout de toile. Mais je réussis quand même à m'endormir. Je fus réveillé en sursaut par une formidable secousse. Le camion s'arrêta. Intrigué, je me frayai un chemin à travers les jambes de mes collègues et regardai à l'extérieur. C'était l'aube, et la pluie torrentielle qui tombait toujours avait transformé en bourbier la route que je voyais derrière le camion. J'entendais un rugissement qui ressemblait à une rivière tout près. Il n'y avait pas de conducteur dans le véhicule qui nous suivait. J'attendis donc avec impatience qu'on vienne nous prévenir de la suite des choses. Quelques minutes plus tard, un militaire nous informa que nous allions devoir sortir du camion et marcher jusqu'au prochain village, car la route s'était affaissée à cause du débordement de la rivière. Je sortis du camion et vis la route qui avait totalement disparu devant les premiers camions du convoi. Cette annonce ne présageait rien de bon puisque Elena et Djano ne pouvaient marcher. Je le prévins donc de cette situation. Il nous répondit qu'il devait consulter son supérieur. Quelques minutes plus tard, le chef du convoi décida que Djano et Elena allaient devoir nous accompagner, c'était ça ou rien, et nous avions dix minutes pour nous préparer. Peter, qui était sorti du camion, me regarda, incrédule. C'était de la folie pure. Ce fut donc le branle-bas de combat, et tous avaient un mot à dire sur ce qui se passait. Je dus calmer les esprits car je ne voulais pas que la situation dégénère encore plus. Marcello vint nous trouver et proposa de se servir d'un chariot à bagages pour transporter Elena et Djano. C'était une excellente idée, mais cela faisait en sorte qu'il devait laisser du matériel dans le camion en ne sachant pas du tout quand nous allions pouvoir le récupérer. Mais c'était le dernier de nos soucis. Lorsque tout le monde fut à l'extérieur et Elena bien installée sur des toiles dans le chariot, Djano ne voulut rien savoir de sortir sous la pluie et de se faire transporter comme un vieux poulet mort. Il voulait rester sous les couvertures au chaud. Nous lui fîmes comprendre que c'était une très mauvaise idée, mais il ne voulait rien entendre. Nous en étions à essayer de le persuader de venir avec nous lorsque le haut gradé nous cria que c'était l'heure du départ. Djano en profita pour nous dire de le laisser là, car il était fatigué et voulait dormir. Je montai alors dans le camion pour discuter avec lui. Lorsque je fus près de lui, il releva sa couverture et me montra ses jambes. Elles avaient enflé démesurément et les plaies avaient pris toutes sortes de teintes violacées, noires et grisâtres. Beaucoup de sang suintait des bandages de fortune que nous lui avions mis autour des pieds. Il me souffla à l'oreille qu'il n'avait plus la force de continuer. Ce que je compris et respectai. Il sortit une bouteille de whisky dissimulée sous sa couverture (bouteille sortie d'on ne sait où). Il en prit une grande lampée et sourit. «Je suis heureux maintenant, qu'ils me descendent, je m'en fous… Tout ce que je veux, c'est avoir la paix.»

Lorsque ce fut l'heure du départ, je vis le chef des militaires qui s'entretenait avec des civils sur le bord de la route. Je ne sais pas ce qui se traficotait, mais ça n'était sûrement pas de bon augure pour Djano. Mais nous n'avions plus le choix de le quitter, et c'est sous une pluie froide et brutale que nous avons commencé à marcher. Le périple s'annonçait difficile. Anna avançait lentement et les enfants (nous en avions quatre) ne pouvaient pas marcher aussi vite que les adultes. Cela m'inquiétait beaucoup car je savais que les militaires n'hésiteraient pas longtemps avant de s'occuper des retardataires. Le temps jouait à la fois pour et contre nous, car les militaires aussi étaient fatigués et devaient marcher dans les mêmes conditions que nous. Tout ce qui les distinguait, c'étaient leurs imperméables et leurs bottes qui les tenaient bien au sec. Nous n'avions pas tous cette chance, certains étaient déjà trempés jusqu'aux os.

Après plusieurs heures de marche dans des conditions épouvantables et la traversée d'un monticule de boue à l'endroit où la route s'était affaissée, nous avons finalement aperçu le panneau signalant l'entrée du village de Sendila.

On nous conduisit alors dans un grand hangar qui devait avoir servi autrefois à entreposer de la machinerie. Nous étions affamés, sales et épuisés, et la soupe chaude qu'on nous servit fut la bienvenue. Après le repas, j'en profitai pour essayer d'en savoir plus sur ce qui nous attendait. En vain. Les lits de camp en fer nous parurent providentiels et tout le monde s'endormit presque aussitôt. Je me réveillai en sueur quelques heures plus tard. La nuit tombait. Cela faisait déjà une journée que ce cauchemar avait commencé. Une seule journée avait suffi pour que nous perdions tous nos repères. Nous étions en mode survie.

Nous sommes repartis dans de nouveaux véhicules très tôt le lendemain matin. Plusieurs villageois s'étaient déplacés pour nous voir marcher en file indienne avant de monter dans les camions, non pas pour nous encourager, mais pour assouvir leur curiosité. Nous étions sales, hagards et fatigués, et je surpris quelques regards de compassion parmi d'autres froids et distants. Certains avaient amené leurs enfants et leurs animaux de compagnie. Il ne manquait plus que le maïs soufflé et les grignotines. La propagande avait bien fonctionné. Nous n'étions plus que des objets de curiosité et de haine.

La route cahoteuse, la pluie et la lumière blafarde du camion furent les seules constantes de cette autre journée de transport. Heureusement, nous avions pu récupérer quelques cigarettes que nous avions fait sécher durant la nuit. Je fumais donc en silence en regardant Anna qui se massait le ventre. Peter, assis à mes côtés, me sourit et me donna une petite tape sur l'épaule. Il me passa un flacon de whisky que lui avait donné Djano avant que nous le quittions. Le whisky était bon, la cigarette aussi. Je ne revis plus jamais Djano. Personne ne le revit.

Le voyage dura une journée, passée principalement à l'intérieur du camion, sauf lors de rares arrêts pour le carburant. On nous permettait alors de sortir faire nos besoins là où c'était possible. Certains, hélas, ne pouvaient se retenir jusqu'aux arrêts. Finalement, nous sommes arrivés au village de Znit, dans le nord de la Bordénie. Une région de collines basses et de champs de cultures, moyennement peuplée.

Le camp de Znit

Il faisait nuit lorsque nous sommes arrivés à la base militaire de Znit et la plupart d'entre nous étaient épuisés et affamés. On ouvrit la toile qui fermait l'arrière du camion et, lorsque je mis pied à terre, un épais brouillard m'enveloppa aussitôt. J'aperçus des silhouettes qui erraient ici et là, furtives et fantomatiques. Les militaires nous ordonnèrent de nous séparer en deux groupes : les hommes d'un côté, les femmes et les enfants de l'autre. Il n'y avait pas à discuter. Peter et Annabelle sortirent Elena du camion puisqu'elle n'avait pas assez de force pour marcher. Je demandai à un gradé si on pouvait la conduire dans une infirmerie. Il me dit qu'il allait voir avec ses supérieurs. Lorsque j'insistai, il me mit son arme sous le nez et me fit comprendre clairement que ce n'était pas le moment. Assez rapidement, tout le monde fut groupé selon le sexe. Puis on nous fit avancer dans le brouillard. Je m'attendais à entendre des cris et des protestations, mais fus surpris par le calme et le mutisme de tout un chacun. Déjà la résignation faisait son œuvre. C'était inquiétant.

Les baraques ressemblaient à toutes les baraques de camps de prisonniers de guerre que nous avions déjà vues par le passé dans des livres, au cinéma ou à la télévision. J'étais tellement fatigué que je ne pensais même pas à manger. En fait, j'étais dans un état d'insensibilité totale, comme si j'étais drogué ou ivre, moins le plaisir. On nous indiqua nos couchettes superposées et je tombai sur le lit métallique en souhaitant ne me réveiller qu'à la fin de ce cauchemar.

Dans mon rêve, j'essayais d'entrer dans une prison. Je devais faire sortir Anna qui venait d'être arrêtée, mais le dédale de couloirs et de portes était tellement confondant que je n'arrivais jamais à aller plus loin que l'entrée de la prison. Je savais qu'Anna était prise au piège derrière ces murs et ces portes, mais je n'avais aucun moyen de la rejoindre. Une sirène mit fin à mon rêve. C'est alors que la réalité me frappa de plein fouet. Je vis des visages hagards et des yeux bouffis par le manque de sommeil, la fatigue et le désespoir. Peter s'approcha de moi, me regarda longuement sans rien dire, puis s'assit sur mon lit.

— Est-ce que tu sais où on est exactement ? dit-il à voix basse.

— À Znit, une base militaire de Bordénie… C'est ici que des Esporiens et des Polonais ont été emprisonnés pendant la Seconde Guerre mondiale.

— Et qu'est-ce qu'on vient faire ici ?

— Je ne sais pas… C'est peut-être juste une étape vers un autre camp. Je n'ai pas l'impression que nous allons rester ici très longtemps, c'est trop voyant sur les cartes des Esporiens.

— Tu veux dire qu'ils vont essayer de nous trouver un trou encore plus profond ?

— Peut-être. Je n'en sais pas plus que toi, mon pauvre vieux, ajoutai-je en soupirant.

Un militaire entra alors. Il nous prévint que c'était l'heure du goûter. Un homme se présenta comme notre commandant de baraque. Un autre le suivait avec un énorme chaudron. C'était la soupe du matin, un genre de gruau mélangé avec des bouts de pain rassis. Un autre homme distribuait du café ou ce qui y ressemblait.

Le commandant «maison» nous présenta notre horaire. C'était un Bordénien, mais il ne portait pas d'uniforme. Sans doute un ancien forçat ou un civil engagé pour faire le sale travail. L'homme était à première vue assez rustre et antipathique, mais il s'avéra qu'il ne nous considérait pas comme des demi-humains. C'était déjà ça de gagné. En ce qui concerne l'horaire, il était assez simple. Pour l'heure, nous devions manger, nous débarbouiller du mieux qu'on pouvait, puis ce serait l'appel de rassemblement à l'extérieur.

Lorsque nous sortîmes, je reconnus divers membres de ma troupe qui avaient été conduits dans d'autres baraques. Marcello apparut à ma gauche. Il m'annonça que les femmes logeaient dans des bâtiments situés de l'autre côté d'une voie de desserte entourée de deux clôtures barbelées. Nous fûmes interrompus par l'appel qui fut rapide, puis on brisa les rangs. Personne ne nous donna d'ordres ni de lieux où aller. C'était assez surprenant, étant donné la façon dont était organisé notre horaire jusqu'à présent. Notre petit groupe se réunit aussitôt. Tout le monde se questionnait sur le sort des femmes et des enfants, sur ce qui nous attendait, sur le travail, la nourriture, les gardes, les barbelés, les chiens, etc. Il y avait tant de questions et si peu de réponses. Mais une chose était sûre, nous avions perdu notre liberté. Nous n'avions donc plus droit de regard sur notre vie. Nous venions de perdre tous nos privilèges d'êtres humains libres, et puisque nous ne connaissions pas les règles de cette perte de liberté, nous n'avions aucune idée de la manière de nous comporter. D'autres prisonniers se présentèrent à nous. Ils venaient majoritairement d'Espora, mais certains étaient de Slovénie ou de Hongrie. Ils furent bien étonnés d'apprendre que nous étions tous du Cirque des montagnes Bleues. On discuta avec eux, ce qui nous donna l'occasion d'en savoir un peu plus sur le fonctionnement du camp. Peter et Éloi furent les premiers à demander s'il y avait beaucoup de sur-veillance et s'il y avait un moyen de s'échapper. Ils rigo-lèrent en pointant les miradors, les murs de briques, les barbelés et les gardes armés. La conversation ne dura pas longtemps, car on nous fit remettre en rangs serrés. L'appel recommença, mais à présent, chaque fois que le nom de l'un des artistes du cirque était nommé, celui-ci devait sortir des rangs et se placer non loin de là afin de former un autre groupe. Au bout d'un certain temps, tous furent nommés et notre groupe de dix hommes resta sur place tandis que les autres prisonniers quit-taient la grande place pour aller travailler. Je n'aimais pas le fait qu'on soit séparés des autres en vertu de notre seule appartenance au Cirque des montagnes Bleues et j'étais convaincu que ces Bordéniens étaient capa-bles de tout, même du pire. Quoi qu'il en soit, on nous ordonna d'aller chercher nos maigres biens dans nos baraques respectives. Puis on nous conduisit vers une petite masure à l'écart dans laquelle on nous fit entrer sans d'autres précisions sur ce que nous étions censés y faire ensuite. Nous nous sommes installés du mieux que nous avons pu. Un peu plus tard, un prisonnier vint nous servir une soupe et un bout de pain. C'était bien peu pour notre estomac qui résonnait tellement il était vide, mais au moins cela nous permit de nous restaurer.

Au moment où Marcello et moi commencions à discuter des moyens de prendre des nouvelles des femmes et des enfants, le capitaine Tzalva se pointa dans notre baraque. Il se présenta à moi et me toisa du regard.

— Vous êtes bien installés ici, c'est le grand luxe, une baraque pour vous tout seuls.

J'en profitai pour sauter sur l'occasion :

— Justement, nous voulons savoir ce qui va nous arriver. Est-ce qu'on va rester ici longtemps ?

Il prit son temps pour répondre, savourant notre vulnérabilité :

— Nous sommes en train de discuter de votre cas… Lorsqu'une décision sera prise, nous vous avertirons. Pour l'instant, vous resterez ici tout en participant aux corvées du camp comme les autres prisonniers.

Marcello s'approcha de nous subrepticement, chose que ne sembla pas apprécier le militaire.

— Et est-ce qu'on va pouvoir voir nos femmes et nos enfants ? demandai-je en faisant signe à Marcello de me laisser discuter seul avec le capitaine.

— Je peux vous permettre d'envoyer l'un d'entre vous aux baraquements des femmes, mais c'est tout ce que je peux faire pour le moment, ne m'en demandez pas plus, ça serait peine perdue, compris ?

Je fis du regard un tour rapide de mes compagnons, et acquiesçai.

— Quand est-ce que ça peut se faire ?

Le militaire sourit et sembla satisfait de la tournure des événements.

— Cet après-midi, avant la soupe, un gardien va venir vous chercher…

Le militaire mit fin à la conversation en tournant sur lui-même et en sortant de la baraque aussi silencieusement qu'un chat. Nous nous regardâmes pendant de longues secondes.

— Vas-y, toi, me lança Marcello, c'est toi le directeur, c'est toi le patron.

Je tirai un coup sur ma cigarette en interrogeant du regard les autres qui étaient assis tout autour de moi sur les lits.

— Je ne suis plus le patron de personne… Il n'y a plus de cirque… Donc vous pouvez choisir n'importe lequel d'entre vous, répliquai-je.

Peter me regarda, incrédule :

— Pourquoi tu dis ça ? Si tu n'es plus notre chef, qui d'autre va l'être ? Ça ne fait aucune différence que le cirque soit rendu ici, moi je veux que ça soit toi qui nous représente, et personne d'autre.

Esteban, notre maître de piste espagnol, d'habitude peu bavard et discret, se joignit à la discussion :

— Eh bien, on n'a qu'à voter, comme ça on ne pourra pas dire que l'un d'entre nous s'est désigné lui-même.

— D'accord, votons, lança Marcello. Que ceux qui sont pour qu'Albert soit notre représentant et notre chef, lèvent la main.

Tout le monde leva la main, sauf moi bien sûr. Je souris en les regardant pendant quelques secondes. Je les considérais comme mes enfants, bien que plusieurs d'entre eux fussent plus vieux que moi. Je fus donc celui qui alla visiter les femmes dans leurs baraques, un privilège assez rare, d'après les commentaires des autres prisonniers lorsqu'ils l'apprirent. La rupture des contacts avec les proches, les amis et la famille est l'une des premières mesures mises en place dans le système concentrationnaire. Cette rupture a pour but de fragiliser encore plus l'état mental des prisonniers. Tout est savamment pensé, plus vous êtes vulnérable et désarmé pour répondre au choc de la vie concentrationnaire, plus vous avez de chances de sauter les plombs ou de renoncer à vivre ou à lutter pour survivre. Le sentiment de sécurité qui naît de la proximité de ceux que vous aimez et chérissez disparaît peu à peu, et vous vous retrouvez totalement isolés. Les seuls choix qui restent sont des choix égoïstes. Vous sauvez votre peau ou vous abandonnez la partie.

Mais le privilège qui nous avait été accordé avait quand même ses limites. Je pus effectivement franchir la zone limitrophe des baraquements des hommes et des femmes. Le militaire me fit attendre une heure près des latrines. Puis il me conduisit à l'entrée de la baraque n° 9. Il demanda à la «responsable» de cette baraque, une femme grande et élancée comme une joueuse de volley-ball, d'aller chercher Anna. Quelques secondes plus tard, celle-ci fit son apparition avec son chaperon. Ils nous accordèrent dix minutes, pas une de plus. Je ne perdis pas mon temps à demander si je pouvais voir les autres, je savais que je ne le pourrais pas. Mais je fus tellement soulagé et ému de la voir en vie que je ne pus que l'étreindre, sans dire un mot. Le garde s'alluma une cigarette et nous regarda d'un œil amusé. Je m'en fichais, tout ce qui importait était de voir Anna.

— Comment est-ce qu'ils vous traitent?

— Assez bien. Ils ne nous battent pas, mais j'ai l'impression que ce n'est pas l'envie qui manque. C'est surtout le regard des hommes, je veux dire des militaires. Ils nous regardent comme des morceaux de viande… même pas, comme des objets sexuels à prendre et à mettre à quatre pattes dans un champ.

— Je vois… et surtout qu'ils n'auraient pas beaucoup de résistance de notre part. Nous sommes isolés. On ne pourrait rien faire d'autre que d'assister impuissants.

— Oui, mais tout ce que vous verriez, ce sont des yeux, des yeux comme ceux d'Elena… des yeux qui ne parlent plus, qui sont morts d'avoir été si blessés par ce qu'ils ont vu.

Anna me regarda en silence. Je mis ma main sur son ventre en le massant doucement.

— Comment va Elena?

— Elle ne va pas très bien. Elle fixe les gens et les choses sans paraître les voir. Comme si elle s'était réfugiée sous une carapace.

— Ça m'étonnerait qu'ils lui proposent de voir un psychologue… Si personne ne s'occupe d'elle, elle risque de sombrer encore plus.

— Je sais, on fait ce qu'on peut, mais nous ne sommes pas tellement plus fortes mentalement en ce moment. Il y en a qui flanchent plus vite que d'autres… C'est cette ignorance de ce qui nous attend, surtout qu'ils nous ont mises à part.

— Quoi, ils vous ont mises à part?

— Oui, je ne sais pas ce qu'ils traficotent, mais ça ne me plaît pas du tout.

Anna jeta des coups d'œil inquiets autour d'elle. Le militaire et la « chaperonne » discutaient en nous regardant, un sourire mauvais accroché au visage. Anna chercha ma main et l'agrippa avec insistance.

— J'ai peur, tellement peur, Albert. Pourquoi cette haine de nous ? Nous ne sommes pas si différents d'eux ! Nous partageons le même passé, les mêmes terres !

— C'est justement ça le problème, nous sommes nés de la même semence dans les mêmes champs, mais il n'y a plus assez de place pour contenir tout ce qui a poussé et les plus forts veulent éliminer les plus faibles, du moins c'est ce qu'ils croient.

Le militaire nous fit signe qu'il ne restait que deux minutes. J'en profitai pour refiler à Anna un bout de saucisson.

— Est-ce que tu as assez à manger pour deux ? demandai-je en la regardant dans les yeux.

— Ça va… Les autres me donnent des petits bouts de pain, des fonds de bol et d'assiette, mais il n'y a presque pas de lait et ça m'inquiète.

— Qui sait, vous allez peut-être pouvoir faire du troc avec les autres prisonnières…

— Ouais, on va leur donner des cours d'acrobatie et de voltige contre du miel et du lait, dit-elle en souriant. Tu vas voir, il va y avoir des files devant notre baraque !

Le militaire nous fit signe qu'il était temps pour moi de déguerpir.

— Je vais essayer de revenir te voir…

Anna se leva et m'embrassa.

— Je sais... prends soin de toi .

Je ne lui répondis pas. Je repris le chemin de la section des hommes, escorté par mon ombre. Je ne savais pas trop sur quel pied danser. Étais-je heureux? Oui, mais d'un bonheur fugace et insaisissable suivi du goût amer de la solitude et du manque. Comme dans une rupture, lorsque celui qui aime encore revoit l'autre, par hasard ou par nécessité. Il est tellement aveuglé par la présence de l'autre qu'il ne pense même pas à la souffrance qui va suivre cette rencontre. C'est ainsi que je me sentais à ce moment-là.

Quand je revins au baraquement, plusieurs de mes compagnons furent attristés de ne pas en savoir plus sur leurs femmes et leurs enfants. Le peu de nouvelles que je leur avais données les avait laissés sur leur faim. Mais je ne pouvais faire plus. Je n'allais tout de même pas inventer des histoires dans le seul but de les satisfaire. En fait oui, j'aurais pu...

Le matin suivant, nous fûmes brutalement réveillés par nos gardiens. Aux premiers balbutiements de l'aube, nous nous mîmes en rang et attendîmes l'appel. Après une heure d'attente dans la bruine et le froid, un haut gradé attira notre attention sur une forme vaguement humaine qui gisait près des clôtures barbelées. Quelques militaires se rendirent près de la forme et la soulevèrent. Puis ils l'apportèrent près de nous. C'était un homme, du moins ce qu'il en restait. Il était encore conscient, mais son visage était livide et sans vie. J'avais de la difficulté à regarder et je baissai les yeux. Je reçus alors un violent coup derrière la tête, et ne fus pas le seul à subir ce traitement. Nous étions forcés de regarder. C'était notre punition. Le chef des militaires nous dit alors que l'homme avait tenté de s'échapper. En guise d'exemple, il allait être abattu devant nous. Je n'eus pas le temps de me préparer. On tira sur lui à bout portant. Une seule balle dont l'écho résonna pendant de longues secondes dans le camp silencieux. Ce n'était qu'une formalité, une simple procédure.

Quelques secondes plus tard, on nous dispersa. En regagnant ma baraque, je fus pris d'un violent vertige. Je m'effondrai sur le sol et ma tête heurta une pierre. Il me sembla que plusieurs minutes s'écoulèrent avant que je retrouve mes esprits. Peter et Marcello étaient à côté de moi et m'aidèrent à me relever. Je me sentais malade et vomis près des baraquements. Quelques instants plus tard, on sonnait la soupe. Ce fut un déjeuner très silencieux car personne n'avait envie de parler. J'avais honte d'être un humain. J'avais honte des bourreaux et des victimes. Rien ne pouvait excuser notre misérable comportement. Je fis part à Peter de mes pensées. Ce dernier me toisa du regard. « Pourquoi avoir honte, nous ne sommes pas les agresseurs, nous sommes les victimes. Jamais je ne me sentirai coupable d'être ici. Je ne vois pas pourquoi tu penses de cette manière… tu n'as pas le droit ! » ajouta-t-il en haussant la voix. J'eus beau lui répondre que ce n'était pas ce que j'avais voulu dire, il se leva et alla s'asseoir plus loin.

J'ignore ce qui motivait les Bordéniens à nous traiter ainsi. Au final, personne n'y gagnerait. L'histoire avait été souvent réécrite à la suite de telles guerres ethniques. Mais les gagnants devenaient tôt ou tard les perdants et ainsi de suite. Il n'y avait rien de permanent dans cette façon de régler les conflits interethniques. Ce n'était que des pansements sur des blessures vives.

Les jours passèrent, nous arrivions déjà à la mi-octobre. L'air frais fit place à un courant d'air froid venu du nord. Les feuilles qui tombaient dans notre campement se faisaient de plus en plus rares. Les journées raccourcissaient très rapidement et nous eûmes droit à des vêtements plus chauds. Chaud est un bien grand mot pour décrire les fringues que nous devions porter. Tout était gris et noir. C'étaient des vêtements qui avaient dû être portés plusieurs fois avant d'atterrir sur notre dos. Mais ils faisaient leur travail : nous protéger du vent et du froid, et de l'hiver qui allait venir tout immobiliser bientôt. Juste au moment où une certaine routine s'était installée (celle des journées de travail, des repas, de brefs moments de répit dans les baraques, d'échanges amicaux avec les autres prisonniers), je fus interpellé par un militaire qui m'annonça que le capitaine Tzalva voulait me voir. Sans autre préavis, on me dirigea vers le centre du camp de Znit. Le capitaine Tzalva m'attendait cigare au bec dans une pièce assez bien meublée et remplie de cartes et d'ouvrages militaires. Sur le coup il me parut sympathique et chaleureux, mais on ne peut jamais se fier à des militaires dirigeant ce genre de camp. Leurs cornes ne sont jamais bien loin de leurs ailes angéliques. Tzalva me fit asseoir et m'offrit un cigare. Malgré mon ressentiment et ma colère envers tout ce qui nous arrivait, je me vis accepter avant même que mon cerveau traite l'information. Il faut dire que les cigarettes qui nous étaient fournies n'étaient que des cylindres de papier remplis de reste de tabac de mauvaise qualité. Le capitaine me donna du feu et annonça ses couleurs. Notre séjour à Znit se prolongerait, mais dans une autre partie du camp. Tous les membres de la troupe du Cirque des montagnes Bleues seraient regroupés au même endroit, hommes, femmes et enfants. Ce qui en soi représentait une bonne nouvelle. Le capitaine m'avoua que c'était une chance en or d'avoir sous la main (il insista sur ce terme) un cirque presque complet dans un camp comme Znit, et qu'il fallait en profiter. Il continua en me disant qu'il y avait, dans la partie sud du camp, un énorme hangar vacant qui avait servi autrefois à l'entreposage de matériel militaire. Dans la dernière semaine, ses hommes avaient monté un véritable petit chapiteau intérieur avec une piste centrale, des gradins, des coulisses, etc. Il ne restait plus qu'à installer le matériel nécessaire à la présentation de numéros. Matériel qui venait tout juste d'arriver en provenance des montagnes Bleues. Il s'interrompit en se versant un verre de vin. Je le suivis des yeux en réfléchissant à ce qui allait suivre. Je savais où il voulait en venir, et il le savait aussi. Il ne faisait que savourer l'instant présent. Le but de l'opération était de divertir les troupes, les militaires en visite au camp et les citoyens illustres ou non qui habitaient dans les environs de Znit et même plus loin. Nous aurions notre propre petit camp, nos gardiens attitrés, une nourriture un peu différente de celle qui constituait le quotidien alimentaire des autres prisonniers de Znit. Nous serions donc choyés en comparaison des prisonniers ordinaires. En contrepartie, nous allions devoir présenter des numéros de cirque toutes les semaines, le vendredi et le samedi. Il dut voir à mon air piteux que je ne savais comment accueillir cette nouvelle. Il arpenta son bureau en se donnant des airs de grand seigneur.

— J'espère que vous réalisez la chance que vous avez... Vous allez pouvoir pratiquer votre art... Ce n'est pas donné à tout le monde, vous me l'accorderez, mais nous sommes un peu égoïstes. Moi et mes hommes allons pouvoir profiter de la chance de vous avoir comme invités.

Un temps mort suivit son monologue. Il me regarda et attendit une réponse.

— Et si nous refusons... Si nous n'acceptons pas ce contrat... Qu'est-ce qui va nous arriver?

Tzalva s'approcha de moi et ralluma mon cigare éteint depuis quelques minutes.

— En tant que prisonnier esporien, le choix ne figure pas dans votre vie actuelle. Si vous refusez, les femmes et les enfants resteront ici et tous les hommes de votre cirque seront transférés dans un autre camp... beaucoup moins agréable. Je ne donnerais pas cher de votre peau dans le nord de la Bordénie. Seuls les plus résistants survivent à Hanténos.

Je connaissais ce nom... L'histoire de la Seconde Guerre mondiale me l'avait appris. Hanténos était un camp de la mort. Un camp de travail forcé situé dans un désert de montagnes arides. Personne ne survivait à Hanténos. C'était, paraît-il, l'enfer sur terre. Le capitaine Tzalva dut deviner l'effet qu'avait sur moi la mention d'Hanténos, car il se comportait déjà de façon victorieuse. Il vint près de moi et me mit une main sur l'épaule.

— Je vous donne trois semaines pour préparer votre premier spectacle. À la mi-novembre, je veux que tout soit fin prêt pour célébrer les fêtes du peuple à Znit. Même notre cher président sera là en personne, c'est peu dire, toute la Bordénie sera là, et nous fêterons avec vous. N'est-ce pas là une idée géniale !

Le capitaine fit signe à une aide de m'escorter à mon baraquement. Avant que je ne sorte de son bureau, il vint près de moi :

— Parlez-en à vos hommes. Annoncez-leur l'alternative que vous avez. Je retournerai vous voir demain et nous conviendrons d'un plan de match, dit-il d'un air un peu moins courtois.

Je ne peux pas dire que mes hommes furent emballés par le projet du capitaine Tzalva. Mais avions-nous le choix ? Peter et Éloi furent les premiers à convenir que ce n'était pas une si mauvaise idée, ce qui m'étonna beaucoup, connaissant leur fougue et leur côté rebelle. Ce projet imposé aurait au moins l'avantage de nous donner du temps, et le temps était ce qu'il y avait de plus vital vu les circonstances. Marcello fut celui qui semblait le moins enclin à participer à cette mascarade.

— Qu'est-ce qui nous prouve qu'ils ne vont pas nous buter une fois que nous aurons présenté le premier spectacle ? argua-t-il en allumant son bout de cigarette.

— Rien. Absolument rien. Mais si on peut faire quelque chose pour sauver notre peau, et que c'est le spectacle qui nous le permet, je ne vois pas pourquoi on hésiterait, répondis-je en essayant d'être convaincant.

— Tu n'as pas l'impression de te prostituer pour leur bon plaisir ?

— Pas plus que si je creusais des trous qui ne servent à rien ou si je passais le balai dans leurs chiottes.

— Ce n'est vraiment pas comme ça que je vois les choses. Si toi tu penses que tu peux sauver ta peau en faisant le clown pour ces imbéciles, tu peux le faire, mais ne compte pas sur moi, ajouta Marcello en me regardant droit dans les yeux.

— Il est hors de question qu'on prépare ce spectacle avec des artistes en moins. On présente un spectacle tous ensemble ou on renonce à l'idée et on s'en va dans un camp où on a 90 % plus de chances de crever comme des chiens qu'en restant ici.

Herman toussa et mit une main sur l'épaule de Marcello.

— Qu'avons-nous à perdre, Marcello ? Rien. Je préfère être en mouvement dans un cirque forcé plutôt que de penser au cirque comme à quelque chose de perdu à jamais. Et puis, si jamais ils nous suppriment, et bien on aura eu au moins la chance de faire ce qui nous plaît le plus au monde… Non ?

Marcello soupesa longuement la question. Il regarda les autres qui semblaient espérer qu'il change d'idée. Finalement, il brisa le silence.

— D'accord. Je suis avec vous. On va leur préparer leur putain de spectacle et après on verra ce qui se passera.

Tout le monde se pressa autour de Marcello en lui serrant la main. Je fus le dernier à lui donner l'accolade.

— Merci Marcello. Tu vas voir, on va leur en mettre plein la vue à tous ces rats d'égout.

Je ne sais pas si c'était la fatigue ou la joie d'en être arrivés à un consensus, mais un fou rire général s'empara de nous. Le gardien vint nous prévenir de la fermer. Il ne voulait pas qu'on se fende la gueule à ses dépens parce que dans sa baraque les prisonniers riaient comme des demeurés.

Le lendemain, comme prévu, le capitaine Tzalva vint quérir sa réponse. Il fut très heureux d'apprendre que nous acceptions le projet. Mais il n'était pas dupe. Il nous montra le fameux hangar nº 7 dans lequel nous présenterions nos numéros. C'était assez grand pour contenir une piste et tous les éléments s'y rattachant. Des gradins avaient été installés autour de la piste en nombre suffisant pour accueillir de cent à deux cents personnes. Tzalva nous demanda ce dont nous avions besoin pour exécuter nos numéros. Je lui dressai une liste du matériel nécessaire. Il prit tout en note et me dit que nous aurions cela d'ici quelques jours. Je n'osai pas lui demander comment il comptait faire pour ramener des camions plein de matériel en territoire esporien. Mais d'après ce que j'avais entendu dans les dernières semaines, la région des montagnes Bleues était presque entièrement sous contrôle bordénien. L'armée esporienne avait tout simplement laissé tomber ce territoire pour se concentrer sur la protection de Choslow, la capitale, et des régions du Sud. En fait, la majeure partie de l'armée esporienne était cantonnée dans un tout petit secteur, soit celui qui contenait la plus grande densité de population et de richesses naturelles.

Tzalva en profita pour me rappeler que lorsque nous serions installés dans notre propre campement, le travail se poursuivrait quand même. Les femmes et les hommes valides allaient devoir répartir leur temps entre le travail et la préparation du spectacle. Je lui fis remarquer qu'un spectacle nécessitait beaucoup de temps et d'énergie, et qu'il n'en resterait pas tellement pour autre chose. Il me répondit que cela n'était pas son problème et que, de toute façon, nous allions être privilégiés par rapport aux autres prisonniers. Il ajouta que je serais entièrement responsable du temps accordé aux travaux forcés et au spectacle. Je devrais notamment lui rendre compte chaque semaine des progrès réalisés. Il mit fin abruptement à la discussion en me donnant l'impression qu'il ne comprenait pas vraiment la situation. Mais je savais que nous marchions sur des œufs et que toute demande additionnelle serait malvenue. Je fis part à mes hommes des commentaires de Tzalva. J'eus même la permission d'aller voir Anna dans les baraquements des femmes.

Le choix

Lorsque Albert se tut, il me parut très distant, non pas physiquement, mais mentalement. Je lui demandai alors par simple curiosité s'il ferait le même choix aujourd'hui, à savoir monter un spectacle pour ses geôliers, ou refuser et risquer d'être transféré dans un camp où la mort serait peut-être au rendez-vous. Il baissa les yeux et sembla mal à l'aise :

— Ma fille m'a déjà posé cette question voilà bien longtemps. Que pensez-vous que je lui ai répondu ? Que voulez-vous répondre à cela. Il n'y a pas de réponse à cette question. Miljenka est en vie. C'est la seule chose qui compte à mes yeux.

Je ne savais pas si Albert était en colère, mais je le sentais plus nerveux, presque excédé.

— Comment me percevez-vous ?

— Je n'ai pas encore saisi votre caractère véritable. C'est pourquoi je ne peux pas me prononcer. En fait, je sens en vous beaucoup de tiraillements... Et il y a des éléments que vous occultez qui assombrissent votre âme.

— Vous pensez que je vous cache des choses ?

— Oui. Mais nous cachons tous des choses... Certains plus que d'autres.

— C'est vrai, mais le but de cette entrevue n'est pas de me faire avouer des choses. Je vous raconte une

69

histoire et vous la recevez comme elle est. Je ne suis pas dans un poste de police. Je n'ai pas à répondre à toutes vos questions...

Je pris le temps de réfléchir avant de reprendre. Je ne voulais pas briser notre relation et notre confiance mutuelle.

— Je suis désolée. Je ne voulais pas vous froisser. Pardonnez-moi.

Albert fit signe au serveur et sortit son portefeuille.

— Je n'ai pas à vous pardonner. Si je suis ici, c'est de mon plein gré. Personne ne me force à raconter mon histoire. Je parle et vous écoutez. Vous pouvez juger de ma conduite, c'est votre droit, comme ce sera le droit de ceux qui liront vos écrits.

Il était tard quand Albert quitta finalement le café. C'était la première fois que l'entrevue durait aussi longtemps. J'avais dit que nous pouvions reporter la suite de l'histoire à un autre moment, mais il avait voulu continuer. L'ambiance intime du petit café avait peut-être favorisé la rencontre et l'échange. Nous avions atteint notre vitesse de croisière et, si tout se déroulait comme prévu, en quelques semaines Albert aurait terminé son récit.

Même s'il était déjà 21 h, je n'avais pas envie de rentrer à la maison. D'ailleurs, il n'y avait personne qui m'attendait, ni humain ni animal de compagnie. J'étais libre de faire ce que je voulais, d'aller où bon me semblait. C'était ça la vie de célibataire, un univers de choix et d'options. Mais au moment même où je savourais cette liberté, j'avais au fond de moi un sentiment de solitude. Le genre de solitude qui vous prend à la gorge lorsque les fins de semaine se présentent et qu'il n'y a aucun ami disponible pour étancher votre soif d'amitié. De plus en plus ces deux sentiments habitaient mon esprit, celui de la toute-puissance du célibat et celui de l'absence de liens affectifs véritables.

Je décidai de m'arrêter prendre un verre dans un bar du centre-ville. Il faisait chaud, un petit vent doux prédisposait à l'abandon. Je ne sais pas exactement ce qui chatouillait mon bas-ventre, mais je trouvais les hommes beaux et plus particulièrement celui qui me lançait des regards discrets et mystérieux du haut du tabouret sur lequel il était perché. Je commandai donc un martini et observai la faune urbaine dans son mode opérationnel nocturne. C'était fascinant de voir à quel point tout était fait pour attirer notre regard et retenir notre attention : les yeux des femmes enjolivés par mille et un éclats, des courbes savamment embellies par des tissus, des bijoux. Pour les hommes, c'était plus élémentaire ; il fallait que tout soit parfaitement équilibré : une bonne dose de virilité, un soupçon de candeur et d'innocence, une pincée d'inaccessibilité et un brin de mystère et de danger. Il y avait énormément de femmes qui aimaient l'interdit chez un homme ; le côté «mauvais garçon» rebelle, à la limite provocant ou voyou. Combien d'hommes ne réussissaient pas à séduire une femme parce qu'ils étaient trop gentils, trop romantiques ou pas assez *go get her*? Ceux directs et audacieux, voire culottés avaient souvent plus de chance de saisir une femme au vol qu'un type effacé et timide. Pour ma part, j'aimais me faire surprendre.

Tout en regardant discrètement autour de moi, je croisai de nouveau le regard de l'homme assis au bar. Je

71

décidai de l'ignorer et de le faire mariner un peu avant de daigner montrer un certain intérêt. C'était cela le jeu. Attire-moi, montre-moi que tu peux me plaire et je ferai (peut-être) quelques pas. En fait, ce n'est pas la certitude qu'il se passe quelque chose qui rend la conquête excitante, mais la possibilité. J'avais le choix. Et dès lors, tout était possible.

En émergeant de ces pensées, je réalisai que j'étais triste. Je commandai un autre verre et me dirigeai vers les toilettes. En passant près de l'étranger dont j'avais croisé le regard, je sentis une envie irrésistible de communiquer, de franchir un obstacle... Je m'arrêtai net devant lui et le fixai droit dans les yeux. Il me regarda sans ciller, sans se troubler. Il n'était nullement intimidé. Je sentis une immense vague de chaleur lorsqu'il mit sa main sur mon épaule et qu'il effleura mes cheveux. C'était un geste franc, sans détour ni poudre aux yeux. Cet homme n'avait pas besoin de ramper pour avoir quelque chose, mais il était prêt à faire son bout de chemin pour rejoindre l'autre. C'est ce qu'il fit. J'étais cette autre. Lorsque la nuit nous enveloppa de sa moiteur, mes mains cherchaient déjà les siennes.

Le hangar n° 7

Albert n'était pas dans son assiette lorsqu'il se présenta à notre rendez-vous. Je lui fis remarquer qu'il pouvait remettre à plus tard notre entrevue, mais il déclina mon offre. Je sentais qu'il voulait en finir avec son récit. Peut-être regrettait-il d'avoir accepté mon projet. Il savait maintenant que je ne voulais pas me contenter de miettes éparses. Je voulais la vérité. La transparence. J'étais encore assez naïve pour m'imaginer qu'il se livrerait tout entier à mes questions. Je ne voulais surtout pas perdre le contrôle.

Lorsque le clic du dictaphone se fit entendre, Albert reprit son récit. Il était étonnamment calme, beaucoup plus paisible que lors de notre dernière rencontre. Moi aussi j'étais plus sereine. Sans doute l'insouciance d'une nuit d'été.

La première réunion des artistes du Cirque des montagnes Bleues se déroula dans le baraquement des hommes, sous les yeux de nos gardiens. Il faisait froid et le minuscule poêle à bois fonctionnait de temps à autre, lorsqu'il y avait du bois, ce qui n'arrivait qu'une ou deux fois par semaine. Même par beau temps, le mercure dépassait rarement douze ou treize degrés dans notre hutte. C'était un mois d'octobre vraiment froid et il avait neigé plusieurs fois déjà. La région de Znit est assez élevée en altitude et il y fait toujours plus froid qu'ailleurs en Bordénie.

Ce fut assez étrange lorsque les femmes et les enfants s'installèrent dans notre section. À vrai dire, nous n'osions pas manifester notre plaisir et notre passion puisque les gardiens nous avaient à l'œil. Mais c'était vraiment extraordinaire de les avoir avec nous. Les femmes avaient apporté leurs couvertures rapiécées et Agnès servait le thé noir. Les enfants s'amusaient avec ce qu'ils trouvaient dans le camp, mais ils étaient subjugués par les petits jouets que confectionnait Marcello avec du bois trouvé dans les champs et la forêt jouxtant Znit. Nous étions privilégiés d'être réunis dans ce camp. Mais il fallait maintenant livrer la marchandise. Nous avions trois semaines pour tout préparer. C'était ridiculement court. Mais c'était le prix à payer pour rester en vie.

En tout premier lieu, il fallait déterminer les numéros qui composeraient la représentation puis créer une version très courte de notre spectacle habituel, car des vingt-deux ou vingt-trois personnes qui faisaient à l'origine partie de notre cirque, il n'en restait plus que treize. De ces treize personnes, quatre n'étaient pas disponibles pour exécuter des numéros, soit Marcello notre technicien, Esteban notre maître de piste, Elena (bien trop faible pour tenter quoi ce soit) et bien sûr Anna qui commençait à se sentir de plus en plus fatiguée puisqu'elle en était maintenant à sept mois de grossesse. Il était donc clair qu'elle ne pourrait faire le numéro habituel avec moi. Ce qui ne représentait pas vraiment un problème puisque j'avais toujours en poche deux numéros que j'exécutais seul. Le problème résidait dans le travail qu'Anna avait à faire. J'en avais glissé un mot au capitaine Tzalva mais il avait été avare de commentaires. Tout au plus s'était-il engagé à ne pas lui donner de travaux trop durs. Mais il ne fallait pas rêver en couleurs.

Dans les jours qui suivirent, nous avons mis au point une ébauche de notre spectacle. Il fallait avant tout restructurer et mettre à niveau nos numéros afin de les intégrer à une représentation réduite en temps et en artistes. Mais grâce à la collaboration de tous, ce fut assez bien mené. Selon plusieurs de mes collègues, les numéros de clowns devaient faire partie du spectacle, non seulement parce qu'ils étaient bons mais aussi parce qu'ils représentaient un paradoxe extraordinaire dans le contexte actuel. Annabelle décida donc d'utiliser ses marionnettes géantes pour son numéro de jonglerie, ce qui permit d'ajouter un côté comique et fantaisiste. Herman allait assurer la continuité du spectacle avec son personnage de clown blanc. Ce fut ensuite le tour des numéros de voltige, de trapèze et d'équilibriste. Puisque Anna ne pouvait participer au spectacle, nous avons supprimé la danse et opté pour le fil de fer et le mât chinois. Comme nous n'avions aucune idée du type de spectateurs que nous aurions ni des conditions réelles de la présentation du spectacle, il fallait choisir les numéros standards et évaluer par la suite ce qui plairait le plus. Tous n'étaient pas d'accord sur la volonté de plaire aux spectateurs. Peter et Éloi avaient l'intention de présenter leur numéro d'hommes forts avec une pointe d'ironie et de provocation, mais je dus réfréner leur élan. Le but était de rester en vie, pas d'accélérer notre funeste destin.

Les deux semaines qui suivirent furent exténuantes et étrangement motivantes. Nous retrouvions nos repères et une certaine excitation caractéristique de notre mode de vie «préproduction». De fait, les numéros étaient presque au point et les séances de répétition occupaient tout notre temps. Mais cela avait un prix et la troupe commença à montrer de sérieux signes d'épuisement. Le temps froid et humide n'arrangea pas les choses et entraîna son lot de rhumes, de grippes et même de bronchites. À maintes reprises, nous dûmes repenser un numéro parce que l'énergie mentale et physique requise n'était pas au rendez-vous. Je compris à ce moment la nature du piège dans lequel nous étions tombés. C'était une arme à double tranchant, un fragile équilibre entre survie et vie. Il fallait préserver du mieux que nous pouvions notre santé et notre énergie en tenant compte du manque de nourriture, de sommeil et de calme. Anna fut l'une des premières à tomber malade. Elle était très faible et je m'inquiétais beaucoup pour sa santé. Il était clair qu'elle n'avait pas assez de protéines et de vitamines pour deux personnes. Je voulus en discuter avec le capitaine Tzalva, mais il était à l'extérieur du camp et il n'y avait rien à tenter avec les autres militaires. Ils s'en foutaient complètement. Dans les derniers jours avant la présentation du spectacle, il y eut plusieurs chutes et incidents pendant l'entraînement. Nous étions chanceux qu'il y ait des filets de sécurité pour les numéros de trapèze, de voltige et d'équilibriste. Mais la chance n'allait pas être avec nous longtemps. Lorsque finalement le capitaine Tzalva revint, il m'informa que nous n'allions pas pouvoir avoir de filet pour nos numéros aériens. C'était à prendre ou à laisser. Nous n'avions pas le choix. Les autres reçurent cette nouvelle comme un coup de massue. Il était clair que plusieurs artistes allaient mettre leur vie en danger. Mais c'était le but… leur but.

Nous avons donc fait du mieux que nous avons pu. J'étais assez fier de nous et de ce que nous avions accompli, du moins dans les circonstances. Ce n'était pas parfait, loin de là, mais au moins, nous avions quelque chose d'assez solide pour créer un divertissement de qualité pendant presque une heure et demie.

Alors que nous étions regroupés autour du poêle à bois pour « célébrer » la fin de la préparation du spectacle, la neige commença à tomber. L'hiver s'abattit sur nous comme un oiseau de proie sur sa victime. Tout était étrangement calme et surréel. Je savais que nous étions prêts et j'avais même hâte à la première. Nous avions concocté un bel assortiment de numéros. Je me rappelle avoir souhaité à tous de pouvoir trouver dans leur âme une certaine paix. Je voulais que les artistes du Cirque des montagnes Bleues se sentent fiers et dignes, quoi qu'il puisse arriver. Le 14 novembre, les gardiens sont venus nous chercher. Nous avons pris possession du hangar n° 7. En fumant à l'extérieur, je vis les « invités » commencer à se frayer un chemin dans la neige jusqu'au hangar. Le capitaine Tzalva vint me voir et me souhaita bonne chance. Je crus à ce moment-là qu'il était sincère. Je vis Marcello qui distribuait le programme de la soirée (Tzalva m'avait demandé de lui préparer une liste des numéros pour son programme souvenir). Ce qu'il voulait en fait, c'était non seulement informer les spectateurs, mais avoir une preuve matérielle de son succès. En jetant un coup d'œil à la liste des numéros, j'eus une pensée pour tous les autres artistes du Cirque des montagnes Bleues. Où étaient-ils? Un coup de sifflet me ramena au présent. Marcello me regardait de loin en me faisant un signe de la main. Un signe de victoire. Qui sait, peut-être en serait-ce une?

Spectacle des prisonniers du camp de Znit

Programme

1) Albert	Trapèze
2) Annabelle	Marionnettes et jonglerie
3) Peter et Éloi	Hommes forts – main à main
4) Zosia	Équilibriste, tissus aériens
5) Beatrix et Fabian	Balles et tissus sur patins à roulettes
6) Herman	Clown blanc et jonglerie
7) Agnès	Équilibriste sur monocycle
8) Annabelle et Zosia	Fil de fer et acrobaties
9) Albert et Zosia	Mât chinois

Maître de piste : Esteban
Techniciens : Esteban et Marcello
Aide générale : Elena

Lorsque les projecteurs s'allumèrent dans le hangar n° 7, je ressentis les mêmes émotions que les soirs de premières habituels. J'étais nerveux, voire anxieux, et je me disais pour me calmer que ce spectacle n'était pas si différent des autres. C'est de cette façon que je réussis à monter sur mon trapèze et à offrir une performance qui n'était pas moins bonne que les précédentes. Mais bien sûr, il manquait Anna. C'était elle qui insufflait la magie dans notre numéro et j'étais triste de la savoir simple spectatrice dans les coulisses.

Lorsque je descendis de mon perchoir, je tremblais autant de fatigue que d'émotion. J'étais épuisé, beaucoup plus que par le passé. Ce n'était pas surprenant, mais ce qui l'était, c'étaient les applaudissements, même timides, que j'entendis dans la salle.

Tout se déroula assez bien, même s'il y avait un facteur de risque supplémentaire, en l'occurrence l'absence de filet de sécurité. Mais au moins, les trapèzes étaient situés moins haut que dans notre chapiteau habituel. Nous avions inspecté tout l'équipement plusieurs heures avant le début du spectacle. Cette inspection révélait notre manque de confiance en l'installation faite par les militaires. Ce qui avait fait sourire Marcello et Peter. Non, nous n'avions pas confiance. Mais c'était réciproque. Ils devaient se dire la même chose de nous. Qu'à la moindre occasion, nous en profiterions pour filer en douce, Dieu sait comment.

Les problèmes commencèrent avec le numéro du fil de fer. L'installation n'était pas très au point, et Annabelle et Zosia eurent de la difficulté à exécuter leur numéro sans heurt. Elles tombèrent même quelques fois, ce que j'attribuai surtout à la nervosité et à la fatigue. Mais personne ne les hua dans l'assistance, ce qui m'étonna beaucoup. Nous terminâmes le spectacle avec le mât chinois. En dépit du peu de préparation que nous avions eu, ce numéro fut très bien réussi. J'étais surpris de voir avec quelle assurance Zosia s'appropriait le mât. Ce n'était pas son outil de prédilection ni le mien d'ailleurs, mais cela ne parut pas du tout et les spectateurs apprécièrent beaucoup la finale, y compris le capitaine Tzalva, le président bordénien et le maire de Znit, qui vinrent nous rendre une petite visite dans les coulisses après la fin du spectacle.

De retour dans notre baraque, nous étions aussi fébriles qu'exténués. Je ne fus pas le seul qui eut des difficultés à trouver le sommeil. Anna était très heureuse que tout se soit bien passé. Je la sentais craintive et anxieuse, ce qui n'était pas étonnant, car dans ce hangar nous jouions notre vie et la sienne aussi.

Le lendemain matin, le capitaine Tzalva vint nous féliciter. Il m'avoua candidement qu'il n'était pas peu fier de son projet. Le président lui-même l'avait chaudement félicité. Une promotion n'allait sûrement pas tarder. Mais comme toute bonne nouvelle n'arrive jamais sans un cortège de mauvaises, il nous annonça que des problèmes d'approvisionnement étaient à prévoir et que les rations des prisonniers de Znit allaient diminuer. Ce qui pour nous représentait un réel problème. Il était impensable de continuer à présenter notre spectacle si nous n'avions pas assez d'énergie pour le faire. Il s'en excusa, mais me dit que cela allait être temporaire. Il m'assura cependant que du lait en poudre allait être distribué à Anna. C'était au moins ça de gagné.

Mes collègues eurent du mal à accueillir la nouvelle. Déjà que nous n'avions pas assez de nourriture pour nous sustenter, ils imaginaient mal comment nous pourrions survivre avec cette nouvelle donne. Je partageais leur crainte, mais n'y pouvais rien. Nous étions déjà chanceux d'être encore en vie. Dans les jours qui suivirent, je sentis néanmoins une grogne sournoise qui gagnait certains membres de la troupe. Marcello, Peter et Éloi en faisaient partie. Je savais que tôt ou tard ils voudraient tenter quelque chose. Mais je n'étais pas prêt à risquer ma vie, celle d'Anna et de l'enfant à naître, pour des tentatives d'évasion qui avaient peu de chances de réussir. C'était un choix égoïste, j'en conviens, mais tel était mon état d'esprit. Je savais que cet égoïsme allait prendre de plus en plus de place parmi les membres de la troupe. Chacun allait essayer de sauver sa peau et sa raison. C'était inévitable. Je savais également qu'en tant que porte-parole du Cirque des montagnes Bleues, je pouvais essayer d'influer sur les décisions prises par Tzalva et les Bordéniens. Marcello et les autres le savaient, mais plus les conditions de vie dans le camp allaient se détériorer, plus les chances de contrôler tout ce beau monde allaient diminuer.

Miljenka

Lorsque je rencontrai pour la première fois la fille d'Albert, je n'étais pas sûre de la réaction de celle-ci. Mais les choses se passèrent très bien. Miljenka insista même pour que nous nous tutoyons. J'avais attendu presque deux semaines avant que Miljenka me retourne mon appel. À l'instar d'Albert, elle savait se faire attendre. À tel point que je croyais avoir fait un faux pas en l'appelant directement sans passer par son père. Mais ce n'était pas le cas. En fait, ce dernier savait que j'essayais d'entrer en contact avec sa fille. Je ne pouvais faire autrement, il me fallait un portrait d'Albert tracé par quelqu'un qui était proche de lui. Sa fille était la mieux placée pour remplir cette mission.

Miljenka était une jeune femme jolie sans être spectaculaire. Elle avait le regard sombre et profond des forêts de l'Europe de l'Est. Ses cheveux, sa peau, son teint, tout lui conférait un type eurasien. Ses yeux en amande volaient la vedette dans un visage anguleux, mais parfaitement symétrique. J'ai tout de suite aimé cette petite femme qui semblait déborder d'énergie. Elle avait la même fougue que son père... avant la guerre. Même si je savais en quelle année Miljenka était née, je n'avais pas réalisé qu'elle n'avait que trois années de différence avec moi, soit trente-six ans. D'entrée de jeu elle s'avéra une conteuse hors pair. Elle avait une façon toute particulière de mettre en images ce qu'elle racontait. C'était vraiment magique. Il ne manquait que la musique tzigane pour l'accompagner. Nous avons discuté de son enfance, de sa carrière et de sa venue à Montréal pour la préparation du spectacle *Le Cirque des ombres*. Miljenka était vraiment heureuse de faire partie de ce projet. Et dans la façon dont elle racontait son parcours, une constante s'imposait : un amour profond pour son père. Miljenka se montra très curieuse de la relation que j'avais développée avec Albert. En contre-partie, je l'étais de la façon dont Albert parlait de moi. C'est en buvant son troisième verre de sangria que Miljenka changa d'humeur. Subtilement, mais je le remarquai. Elle semblait plus vague, plus mélancolique. En lissant ses cheveux, elle me dit en baissant la voix :

— Vous savez, ça n'a pas toujours été facile d'être la fille d'Albert. Il n'a pas toujours été un père très présent, très affectueux. Je crois que ce sont ses multiples dépressions qui l'ont marqué… qui l'ont diminué.

— Je ne savais pas qu'il était dépressif… En tout cas, il ne m'en donne pas l'impression.

— Non, il le cache bien. Ce sont surtout ses proches amis et sa famille, du moins ce qu'il en reste, qui le voient comme il est.

— Je suppose qu'il a de très bonnes raisons d'avoir ce côté sombre… avec tout ce qu'il a vécu et perdu.

— Oui… c'est vrai. Mais mon père est un perfectionniste… pas seulement sur la piste ou dans les airs, mais dans sa vie aussi. Il ne pardonne pas facilement les erreurs de parcours, le manque de loyauté ou les tromperies.

— Que veux-tu dire ?

— Albert ne se pardonne pas certaines choses qui sont arrivées dans le passé. Mais ce qu'il pardonne encore moins, ce sont les jugements que j'ai pu poser sur ses actions.

— Des actions te concernant?

— Oui… mais indirectement.

— Des choses graves?

— Non, non… rien de ce que tu pourrais imaginer. Albert a toujours été très strict sur la relation père-fille. Il ne m'a jamais battue ou délaissée. Non, c'est à un autre niveau.

— Plus personnel?

— Oui, mais rien qui pourrait diminuer mon respect ou mon amour pour lui. Mais je sais que tout est une question de perception.

— Je comprends, répliquai-je, consciente que je ne réussirais pas à en savoir plus à ce sujet. Mais ça ne transpire pas vraiment lorsqu'il me raconte son histoire. Parfois j'ai l'impression qu'il ne me fait pas confiance… mais ce n'est pas constant. D'ailleurs est-ce qu'il t'a parlé de mon reportage? Je veux dire est-ce qu'il est satisfait de la façon dont ça se déroule?

— Oui et non, répondit Miljenka en papillotant des yeux comme une poupée. Ça dépend des jours. La dernière fois que je l'ai vu, il m'a dit que tout se déroulait bien et qu'il se sentait à l'aise avec toi.

— Tant mieux… Je suis contente de savoir qu'il me fait confiance, même si quelquefois j'ai l'impression qu'il me considère comme une jeune fille.

— Je sais… mais Albert n'est pas capable de concevoir ton âge. Je suppose qu'il te juge plus jeune que tu ne l'es en réalité. D'ailleurs il te trouve très jolie et très féminine…

— Ah oui ? C'est étrange, je ne pensais pas qu'Albert me regardait comme une femme mais plutôt comme une journaliste carriériste, asexuée et célibataire endurcie, fis-je en riant.

— C'est drôle que tu dises ça car Albert aime les femmes et il ne manque pas une occasion de les regarder et de les noter dans son registre. Mais ça s'arrête là. Albert n'est pas à la recherche d'une femme, mais il n'est pas indifférent à leur charme et leur beauté.

— A-t-il été en relation avec une femme récemment ? demandai-je, intriguée.

— Oui, mais rien de sérieux. Albert ne veut pas d'une femme à temps plein dans sa vie. Plutôt des relations de fin de semaine, chacun de son côté.

— Est-ce qu'il te parle d'Anna ?

— Non. Mais je sais qu'il pense à elle souvent. Ça se voit dans ses yeux, surtout avec le spectacle *Le Cirque des ombres*. J'imagine qu'il la voit sur les trapèzes… qu'il s'imagine que je suis elle.

— Pourquoi dis-tu ça ?

— Parce que je le sais. Lorsqu'il me regarde évoluer au-dessus de la piste, je sens son cœur battre… et ce n'est pas seulement parce que je lui ressemble, mais parce que selon lui, je bouge et je danse comme elle. Je suis en réalité une image de la femme qu'il a aimée et perdue.

Après un silence de quelques secondes, je sentis que Miljenka était fatiguée. Je lui proposai donc qu'on se revoie un peu plus tard. Elle hésita, puis promit de me consacrer un peu de temps avant la grande première. J'étais heureuse de l'avoir rencontrée et le lui fis savoir.

Ce soir-là, je me préparai pour la suite de l'entrevue avec Albert. Il ne restait plus que trois semaines avant la grande première et je devais finaliser l'enregistrement de son histoire avant, car Albert m'avait annoncé qu'il voulait quelques jours de repos avant le spectacle. C'était très bien ainsi, car je devais penser à la suite de mon reportage.

Une vie, une mort

Dans les jours qui suivirent, notre petite troupe livra la marchandise. Tout le monde sembla satisfait du spectacle, y compris le capitaine Tzalva, et c'est ce qui était le plus important. Tout alla bien jusqu'à ce que l'hiver nous tombe dessus. Les journées courtes et les bordées de neige se succédèrent sans relâche pendant presque deux semaines. À la mi-décembre, nous étions exténués. Les rations restaient les mêmes, c'est-à-dire très insuffisantes, et j'avais de plus en plus de mal à motiver mon monde.

Puis, le 15 décembre, par une nuit froide et étoilée, Anna accoucha sans problèmes d'une magnifique petite fille que nous prénommâmes Miljenka. Malgré le climat morose de la troupe, ce fut un événement extraordinaire. Nous profitâmes pour célébrer du mieux que nous le pouvions, c'est-à-dire avec une ration de chocolat et de bananes flétries, gracieuseté de Tzalva, qui m'étonna en me donnant une petite bouteille de vodka que je partageai avec les autres. Le bonheur que me procura cette naissance était bien au-delà de ce que j'avais imaginé. J'étais père, et Anna me paraissait plus belle que jamais. C'était maintenant une femme, une conjointe, une mère et une artiste. Malgré tout ce qui nous était arrivé depuis quelques mois, je me sentais comblé par la vie. Miljenka avait beau être née dans le camp de Znit, je la voyais déjà libre de nos entraves et de nos geôliers.

Après un petit congé offert par Tzalva pour célébrer la naissance de Miljenka, nous avons présenté un autre spectacle. Vers le 20 décembre, les officiers, les soldats et d'autres civils fêtèrent une victoire bordénienne sur le front sud de l'Espora. Ils s'enivrèrent comme des bêtes, et je sentis pour la première fois une certaine animosité de la part des spectateurs. Peu de temps avant le début du spectacle, des soldats ivres invectivèrent Elena lorsqu'elle passa dans les gradins pour entrer sur la piste. Non seulement ils la sifflèrent mais l'un des soldats lui donna une claque sur les fesses et tenta même de relever sa jupe. Comme nous étions tous en coulisse, c'est Marcello qui tenta de calmer les esprits des jeunes soldats. Mais ça ne se passa pas très bien et Tzalva lui-même dut intervenir pour éviter une bagarre. C'est de cette façon que commença notre spectacle. Je ne sais pas si c'était une prémonition, mais Anna me prit dans ses bras avant que j'entre sur la piste.

Je n'eus aucun problème avec mon numéro, mais les spectateurs continuèrent de boire et ils semblaient de plus en plus déchaînés. De part et d'autre des gradins, on sifflait, on criait, on agitait des drapeaux bordéniens, on scandait même des slogans à teneur raciste et diffamatoire. Je sentais que les membres de la troupe étaient de plus en plus nerveux et craintifs, et lorsque Annabelle et Zosia se présentèrent sur la piste dans leurs maillots très moulants, les soldats devinrent incontrôlables. Des coulisses, je souhaitai que tout aille bien et que les soldats se calment, mais ça empirait. Il semblait que toute la haine et la colère des Bordéniens se matérialisaient sous ce chapiteau. Pourquoi à ce moment, je ne sais pas, mais il est clair que les succès des Bordéniens dans cette guerre y étaient pour quelque chose. Quoiqu'il en soit, peu avant la fin de leur numéro, Annabelle rata un mouvement et on entendit des huées venant des gradins, et au moment où Zosia exécutait une acrobatie, un des soldats lança une bouteille vers le fil de fer. Annabelle tenta d'éviter le projectile et réussit à sauter sur le sol, mais Zosia termina son mouvement en tombant tête première sur le fil. À cet instant, je vis Esteban courir vers Zosia en même temps qu'Annabelle s'accroupissait auprès d'elle. Je ne pus retenir Éloi et Peter qui se ruèrent vers les soldats. Esteban suivit le mouvement et sauta à son tour dans les gradins. Je ne me rappelle pas exactement la manière dont tout se déroula par la suite, car je tentais de réanimer Zosia. Mais lorsque j'entendis un coup de feu, il était clair que quelque chose de grave s'était passé. Peter et Éloi en profitèrent pour assommer quelques soldats mais Esteban se retrouva immobilisé au sol par un spectateur, un civil qui lui tapait dessus à coups de pied et de poing. Je sus par la suite qu'un soldat bordénien tira une seule fois dans le tas. C'est Esteban qui fut la malheureuse victime. La balle lui traversa la tempe droite et ressortit de l'autre côté. Il mourut sur le coup. Au milieu de la mêlée, j'entendis plusieurs autres coups de feu. Le capitaine Tzalva tenait en joue le soldat qui venait de tuer Esteban. D'autres officiers se ruèrent vers Éloi et Peter et les maîtrisèrent en les menaçant de leurs armes. En l'espace de quelques minutes, c'était le silence absolu. J'entendis le capitaine Tzalva et les autres officiers qui criaient des ordres aux spectateurs, civils et militaires. Puis tout le monde quitta le chapiteau. Nous n'étions plus que nous. Zosia toujours vivante, mais sérieusement amochée, Peter et Éloi au chevet d'Esteban, et Annabelle, silencieuse auprès de Zosia. J'étais ahuri, mystifié. Je regardais Tzalva. Il me jeta un coup d'œil. Je ne baissai pas les yeux, comme si j'avais été son égal. Il baissa les siens. Je sus à cet instant qu'il nous appréciait réellement. Oui, aussi incroyable que ça puisse paraître, je sentais qu'il était navré de ce qui s'était passé. Quelque chose attira alors mon regard : une traînée de liquide rouge se frayait un chemin jusqu'à mes pieds. Du sang coulait sous moi. Du sang rubis qui étincelait sous les lumières du chapiteau. Le sang d'Esteban. Il n'y a plus que cette image qui perdure dans ma tête. Le reste de cette soirée est devenu flou au fil du temps. Mais pas cette image.

Lorsque je me rendis dans les coulisses, je vis Anna qui allaitait Miljenka. Elle avait tout entendu, bien sûr, mais elle ignorait ce qui s'était passé.

— Qu'est-il arrivé ? dit-elle avec la voix enrouée.

— Tout le monde a disjoncté. Zosia est blessée et Esteban est… Il a reçu une balle et il est mort sur le coup.

Anna se mit à pleurer doucement. Je me penchai vers elle et Miljenka et je pleurai moi aussi. C'est alors que le capitaine Tzalva entra dans les coulisses. Il s'approcha de moi et je sentis qu'il était calme, étrangement calme. C'est sûrement ce qui faisait de lui le «patron» du camp. Un froid contrôle des émotions.

— Nous allons transporter Zosia à l'infirmerie. Elle y passera la nuit. Nous verrons ce que nous pouvons faire pour elle. S'il le faut, nous la transporterons à l'hôpital de Znit, dit-il en regardant Anna et Miljenka. Pour ce qui est de… de…

— Esteban, son nom est Esteban…

— Oui… Esteban. Eh bien, vous pouvez ramener le corps dans votre baraquement. Je vous laisse quelques jours pour en disposer. Vous pourrez l'enterrer dans le cimetière du camp. Sinon, ça sera dans le cimetière militaire de Znit.

— D'accord. Et je suppose qu'il n'y aura pas d'enquête ni de jugement?

— Vous voulez rire… Enfin, vous pouvez toujours espérer, mais si j'étais vous, je n'y penserais même pas.

— Je vois… Et qu'est ce qui va arriver avec le cirque? demandai-je en prenant Miljenka dans mes bras.

— Je ne sais pas… Je vais voir avec mes supérieurs. Les événements de ce soir nous ont prouvé que la cohabitation entre les Bordéniens et les Esporiens ne peut franchir une certaine limite. De toute façon, je vais essayer de vous tenir au courant… Je ne sais pas quand. Alors, en attendant, vous allez demeurer dans votre baraquement. Vous aurez congé de travaux forcés, mais ça sera temporaire. Ensuite nous verrons.

Tzalva nous laissa lorsqu'un soldat se présenta et lui dit de communiquer avec le quartier général de Znit. Il nous jeta un dernier coup d'œil et sortit des coulisses en faisant un petit signe de tête.

— Que va-t-il nous arriver, Albert? demanda Anna.

— Je n'en sais rien. Je ne sais même pas ce qu'on va faire du spectacle avec les pertes de ce soir. J'ose espérer qu'ils vont mettre fin à ce projet ridicule. Je préfère encore les travaux forcés à ce carnaval grotesque.

— Mais c'est ce carnaval qui nous a permis de rester ensemble.

— Oui… mais à quel prix, fis-je en caressant la tête de Miljenka qui s'était endormie dans mes bras.

Marcello entra alors dans les coulisses et vint me prévenir que Zosia était partie à l'infirmerie. Il fallait maintenant transporter Esteban dans notre baraquement et trouver un endroit où l'installer. Ce que nous fîmes en silence pendant que de gros flocons tombaient sur le camp.

Ce soir-là, personne ne trouva de mots pour nommer ce qui s'était passé. Il fallait sans doute laisser retomber la poussière. Du moins pendant quelques heures.

Le lendemain, Tzalva m'informa que nous pouvions enterrer Esteban dans le cimetière du camp, pas dans celui de Znit. À mes yeux, ça ne faisait aucune différence. Il ne serait pas à sa place, ni à Znit ni ici. Tout ce qui comptait, c'était de pouvoir au moins lui rendre un dernier hommage et d'avoir un lieu où se retrouverait sa dépouille. Marcello fabriqua donc une croix avec ses initiales et la marque du Cirque des montagnes Bleues: une lune entourée d'étoiles. Il n'y eut pas de cercueil, seulement un drap et une couverture. La cérémonie fut courte mais éprouvante pour nous tous. Il faisait étrangement beau et le soleil miroitant sur la neige nous aveuglait. Anna était restée dans le baraquement. Elle n'allait pas très bien. À vrai dire, elle était faible. Je m'inquiétais beaucoup pour elle. Mais cette inquiétude n'était pas la seule, tout cela était lourd pour ma petite tête. Heureusement, Zosia allait déjà mieux. Elle avait eu plus de peur que de mal et avait évité de justesse une commotion cérébrale. Cependant, sa tempe droite avait été sérieusement amochée. Elle avait beaucoup de difficulté à marcher droit. Mauvais signe pour une acrobate.

Ce soir-là, nous avons discuté ouvertement de ce qui s'était passé. Il était clair que cet accident et ce drame faisaient partie du *deal* que j'avais conclu avec Tzalva. C'était le risque de cet accord. Personne ne voulait retourner sous le chapiteau et j'étais d'accord avec eux. Le spectacle ne pouvait continuer sans notre maître de piste et l'une de nos meilleures acrobates. Le climat relativement bon des premiers spectacles nous avait permis de nous rassembler, de nous sentir utiles, de nous redonner un peu de confiance et d'estime – des éléments qui contrecarraient le but du camp de nous faire sentir comme de la viande avariée. Maintenant, tout était à refaire. Ce drame nous avait fait comprendre à quel point notre vie ne valait pas grand chose. Nous étions à leur merci.

Finalement, Tzalva accepta de me rencontrer, mais très brièvement. Lorsque je le vis, il me parut fatigué. Il m'annonça que les nouvelles n'étaient pas très bonnes.

— Quelles nouvelles?

— Les nouvelles du front. Nous avons perdu plusieurs hommes dans le Sud, et les attaques des Esporiens sont de plus en plus efficaces et meurtrières. Ils ont regagné le pic de Zarlow.

— Le pic de Zarlow... C'est près des frontières bordéniennes? demandai-je mine de rien.

— Oui. Nous devons concentrer notre force d'attaque pour protéger la ville de Brogna.

Je dus lutter pour ne pas montrer que cette nouvelle m'enchantait. Je n'avais aucune sympathie pour les pertes bordéniennes et cela devait paraître, car il changea de sujet assez abruptement.

— Je ne pense pas que vous vouliez me voir pour discuter de stratégie militaire… Je me trompe ?

— Non. En fait, je voulais savoir ce que vous aviez décidé pour nous… Je veux dire pour le spectacle…

— Ma décision était prise… Mais maintenant, cela ne tient plus… répondit-il en évitant mon regard.

— Qu'est-ce que vous voulez dire ?

— Je veux dire que je suis muté ailleurs. Je ne serai plus le commandant de ce camp.

Ébranlé par cette nouvelle, je sentis le besoin d'agripper le fauteuil qui était devant moi. Tzalva s'alluma un cigare et se rapprocha. Il dut sentir ma nervosité car il m'offrit un verre de scotch que je refusai.

— Et qu'est-ce que ça veut dire pour nous ?

— Le spectacle va devoir reprendre. Je vous l'annonce maintenant, car c'est ce qu'a décidé mon remplaçant. Vous pourrez donc vous préparer en conséquence.

— Mais qu'est-ce que ça veut dire continuer ? Je ne veux pas que ce spectacle devienne comme des jeux romains… où l'unique but est la tuerie et la sauvagerie.

— Je sais… C'est ce que je voulais éviter. Mais ce n'est plus de mon ressort à présent.

— C'est donc le nouveau patron du camp qui va décider de notre sort ?

— J'ai bien peur que oui…

— Et comment est-il ce nouveau commandant ?

95

Tzalva prit quelques secondes pour répondre. Je sentais qu'il voulait choisir ses mots.

— Il est dur. Très dur. Il ne vous laissera aucune chance. S'il décide de vous forcer à présenter des spectacles, vous devrez le faire. Sinon les conséquences pourraient être désastreuses. C'est tout ce que je peux vous dire. Mais considérez cela comme une sorte de faveur. Vous serez moins déstabilisé lorsque vous le verrez.

Tzalva regarda sa montre. À l'extérieur, une jeep se gara près de l'entrée de son bureau. C'est à ce moment que j'aperçus près de la porte une valise et des bagages.

— Saviez-vous depuis longtemps que vous alliez être transféré ? demandai-je complètement dépité.

— Non, je l'ai su hier. Je suis désolé, dit-il en regardant à l'extérieur. Je dois partir maintenant. Rivel va vous raccompagner jusqu'à votre baraquement.

Tzalva m'escorta jusqu'à la porte puis il frappa deux coups. Un militaire ouvrit.

— Je vous souhaite bonne chance, dit-il en me serrant la main.

— Bonne chance à vous aussi. Vous en aurez besoin si vous perdez la guerre…

— Nous ne perdrons pas la guerre… Pas celle-là, répliqua-t-il en souriant.

De retour dans ma baraque, j'ai su que je devais être franc avec mes amis. Ils n'étaient pas dupes. Je suis un livre ouvert, on me l'a d'ailleurs reproché… Si la transparence peut servir, elle peut nuire parfois, surtout lorsqu'il est question de stratégie et de ruse. Mes collègues devinèrent donc que je n'avais sans doute pas de très bonnes nouvelles à leur annoncer. Je me rappelle m'être assis près du poêle (qui ne chauffait presque pas, par manque de combustible) et avoir pris une longue respiration. Puis je leur contai tout ce que m'avait dit Tzalva. Quelques secondes passèrent, un long silence, alors que tous les yeux étaient braqués sur moi. Marcello me prit dans ses bras.

— Ce n'est pas de ta faute, Albert. Tu n'es pas responsable, c'est le destin… C'est à nous maintenant d'essayer de lui faire prendre la direction qu'on veut.

— Je sais, mais j'ai l'impression d'avoir failli à ma tâche, répondis-je en fixant le plancher écaillé.

— N'oublie pas que tu n'es que le messager, Albert.

— Non, mais je suis quand même celui qui vous a entraînés dans cette histoire de spectacle.

— Non, Albert, nous n'avions pas le choix. TU n'avais pas le choix.

— Et maintenant, on fait quoi? On se laisse aller à la dérive et on attend de tous mourir comme des chiens dans ce foutu bordel de camp de merde? protesta Peter en crachotant son bout de cigarette mouillé.

— Je ne sais pas. On va voir ce que le nouveau va proposer. Puis nous agirons en conséquence.

— Nous ne pourrons pas continuer de présenter un spectacle avec les rations actuelles, fit Anna. Ce serait de la folie. Et puis tout le monde est marqué au fer rouge par ce qui s'est passé au dernier spectacle. Nous avons peur. Peur de nous faire tuer en faisant les saltimbanques.

— Mais nous n'aurons pas le choix, Anna, c'est ce que je m'évertue à vous dire. Nous n'aurons pas le choix de divertir pour continuer à vivre.

— Et s'il y avait une alternative, dit Agnès.

— Quelle alternative?

— Préparer une évasion…

— Peut-être… on verra. Pour l'instant, je veux voir quelles cartes on a dans notre jeu.

— Les cartes que nous avons sont celles que tu veux bien nous donner, Albert, fit Peter.

— Oui. C'est vrai. Est-ce que tu en as d'autres à proposer?

— Oui, mais je vais attendre moi aussi, répondit Peter en regardant Agnès.

— Parfait. Mais pour l'instant, est-ce qu'on pourrait envisager de faire front commun? demandai-je en haussant le ton.

Mes collègues ne répondirent pas directement, mais je compris à leurs signes de tête que c'était partie remise. J'en étais fort heureux, car j'avais l'impression de perdre pied dans quelque chose qui ressemblait à du sable mouvant. Peu de temps après la discussion, Anna me serra longuement dans ses bras. Je pus fermer les yeux et m'abandonner quelques secondes.

Solstice d'hiver

Peu avant l'aube de la veille de Noël, nous fûmes réveillés par le son strident d'une sirène. Je savais que cette sirène ne concernait que notre section du camp. Je me précipitai à la porte de notre baraque. Alors que tous étaient curieux de savoir ce qui se passait, un militaire vint nous prévenir que c'était l'appel et qu'il fallait sortir. Je ne pus négocier la présence d'Anna et de Miljenka et ce furent tous les membres de la troupe qui se retrouvèrent dehors dans la neige fraîchement tombée. Tout le monde, sauf Zosia qui était encore à l'infirmerie.

Après avoir fait le pied de grue pendant de longues minutes, un haut gradé fit son apparition. Les militaires effectuèrent alors l'appel. Puis le haut gradé s'approcha et nous interpella d'une voix très grave.

— Bonjour tout le monde. Je me présente, Milo Ariodel. Je suis le nouveau commandant du camp de Znit et, par le fait même, le chef de votre section.

Il poursuivit d'un ton ferme et autoritaire en nous regardant droit dans les yeux.

— Je sais que vous avez été très privilégiés au cours des dernières semaines et je compte bien vous ramener dans la réalité. À partir de maintenant, c'est moi qui déciderai de votre sort. Et personne d'autre.

Ariodel s'approcha encore plus de nous. Il alluma un cigare.

— Qui est le chef de cette troupe d'hurluberlus?

— Moi, répondis-je en utilisant un ton qui se voulait aussi ferme et décidé que le sien.

— Quel est ton nom?

— Albert.

— Albert. Eh bien Albert, à partir de maintenant vous vous adresserez à moi en m'appelant capitaine. Et cela vaut pour tous les autres. C'est bien compris?

— Oui capitaine, répondis-je en piétinant le sol pour essayer de me réchauffer.

— Bien, très bien… Je sens qu'on va s'entendre. Avant de vous laisser retourner à vos lits douillets, j'ai quelques annonces à vous faire. Premièrement, vous donnerez un spectacle le soir de Noël. C'est un cadeau que je fais aux habitants de Znit et aux militaires de la base de Znit. Il y aura beaucoup de monde et j'espère que votre spectacle sera digne de votre réputation.

Ariodel attendit quelques instants avant de poursuivre, question de voir notre réaction. Personne ne broncha. C'était le silence complet. Cela sembla le déstabiliser un peu.

— Je sais que vous avez perdu l'un de vos membres et que vous avez une blessée. Donc, vous n'aurez qu'à raccourcir la représentation. L'important est qu'il y ait assez de numéros pour divertir tout le monde, les jeunes comme les plus vieux.

Je tentai une question.

— Notre maître de piste est mort. Et il n'y a personne d'autre pour le remplacer…

— Je m'en fous. Débrouillez-vous. Vous n'aurez qu'à présenter vos numéros vous-mêmes. D'autres questions?

— Oui… Nos rations ont été diminuées et j'ai peur qu'il y ait un impact sur la qualité de notre spectacle. Est-ce qu'il serait possible de…

Je me fis interrompre par un éclat de rire grave qui résonna dans l'air figé du matin.

— Ha, ha, ha, vous êtes très rigolo… dit-il en s'esclaffant. C'est vous le clown?

Je ne répondis pas à sa question car je repensai à ce que Tzalva m'avait dit: surtout ne pas provoquer le personnage et essayer de passer le plus inaperçu possible.

— Non, capitaine, je suis trapéziste.

— Bon, eh bien monsieur le trapéziste, vos rations vont rester les mêmes, car ce sont les rations officielles des prisonniers de Znit. C'est compris?

J'acquiesçai d'un signe de tête.

— Bon, c'est tout? Alors vous pouvez disposer. Ah oui… j'oubliais, il y a une femme qui vient d'accoucher dans votre groupe… je me trompe?

— Non, c'est exact, c'est Anna, ma femme.

— Eh bien à partir de demain, je veux qu'elle participe à toutes les corvées du matin, y compris le nettoyage des latrines… Vous avez déjà assez de privilèges comme ça. Je veux que vous vous aligniez sur le reste des prisonniers du camp.

— Mais qui va s'occuper du bébé? répliqua Anna.

— Il y a bien d'autres femmes dans votre troupe. Utilisez-les… Ce n'est pas mon problème. Bon, je vous laisse là-dessus car j'ai des choses plus importantes à faire que de discuter avec des artistes esporiens… Soldat, raccompagnez ces gens à leur baraquement!

L'un des militaires s'approcha alors d'Ariodel et lui parla en catimini.

— Ah oui, j'oubliais, dit Ariodel en arborant un sourire hollywoodien. Je vais avoir besoin de l'une de vos femmes pour servir d'hôtesse ce soir dans le mess des officiers. Qui se porte volontaire ?

Je tournai la tête subtilement de gauche à droite pour voir si quelqu'un allait se proposer. Marcello me fit un clin d'œil à peine perceptible.

— Moi, dit Agnès en levant sa main.

Je fus très étonné par ce geste, d'autant plus qu'Agnès était très hostile envers les Bordéniens. Ariodel s'approcha d'elle et lui sourit.

— Parfait, c'est parfait. L'un de mes adjoints viendra vous chercher cet après-midi et vous conduira au mess des officiers... Nous vous fournirons même un petit costume des plus seyants et séduisants... N'est-ce pas formidable ? ajouta-t-il en écrasant son cigare.

— Bon, maintenant, bottez-vous le derrière pour m'offrir un beau spectacle. Et si l'un d'entre vous s'amuse à faire le guignol, je lui fais sauter la cervelle, c'est clair ?

Personne ne répondit. Ariodel sembla satisfait de sa performance et disparut dans un nuage de neige et de vent. Nous retournâmes à notre baraquement la mine basse. Seule Agnès semblait un peu moins abattue, ce qui m'intrigua fortement.

Cette nuit-là, je me réveillai souvent. J'avais l'impression d'être une mère de famille qui veillait à ce que toute sa progéniture soit rentrée au bercail avant le couvre-feu. J'aurais attendu longtemps car Agnès ne revint au baraquement qu'aux petites heures du matin.

Lorsqu'elle passa près de mon lit, je sentis une haleine d'alcool. J'étais très curieux d'en savoir plus sur cette soirée. Lorsque la sirène se fit entendre, Agnès resta couchée. Je lui demandai si elle avait congé de corvées et elle me répondit que oui. Sans doute une récompense pour service rendu, me dis-je.

Retour à la source

Albert avait le don du suspense. Il trouvait toujours le moyen de terminer les séances par un mystère. Étant curieuse, je languissais d'en savoir plus. Mais Albert dosait son récit de façon précise et toutes les fois qu'il aurait pu en dévoiler plus, il s'arrêtait.

Albert aussi était curieux, surtout à propos de ma rencontre avec Miljenka.

— Quoi? s'exclama-t-il, je n'ai pas le droit d'être curieux moi aussi?

— Oui... mais je vous dis qu'il n'y a pas d'éléments cachés dans ma rencontre avec votre fille. Elle m'a seulement raconté des bribes de sa vie.

— Et vous, vous vous êtes confiée à elle?

— Oui... un peu, répondis-je, surprise par cette question. Pourquoi me demandez-vous cela?

— Parce que je crois qu'il y a d'autres raisons qui motivent ce reportage, ou du moins sa genèse.

— Peut-être, mais ça ne fait pas partie du plan de travail, car si je me livrais à vous, nous perdrions l'objectivité qui se doit d'exister dans notre relation.

Albert soupira et me regarda droit dans les yeux. Lorsqu'il faisait cela, je luttais pour rester opaque. Cela le faisait bien rire.

— Je vous taquine, dit-il en souriant. J'aime voir qu'il existe des petites failles dans votre carapace de journaliste.

— Je tiens à mon intimité. Et, à ce que je sache, l'objet de ce reportage demeure votre histoire. Pas la mienne.

— Et si nos deux histoires étaient imbriquées l'une dans l'autre?

— Pourquoi dites-vous cela?

— Pour rien. Parce que j'aime la pêche...

— Vraiment? répliquai-je.

— Oui... Je confectionne même mes propres leurres. Je vous en apporterai la prochaine fois. Vous verrez, c'est fascinant. De véritables petits objets d'art.

Je souris à l'idée de voir Albert créant des mouches avec un enchevêtrement de fils fluo et de morceaux de métal brillant.

— Mon père aussi aimait la pêche. D'ailleurs, il m'a initiée lorsque j'étais adolescente. Mais je n'avais pas la fibre pêcheuse, dis-je en riant.

— Votre père est-il toujours vivant?

— Non... il est décédé il y a quelques années.

— Il vous manque?

— Oui... comme un père peut manquer à sa fille. Surtout un père qui a été présent. Un père aimant, joueur, rieur. Un bon père.

Albert resta silencieux tout en me regardant longuement. Un silence apaisant. La nuit tombait. Je me rappelai un feu de camp près d'une rivière, des nuées d'étoiles, mon père me racontant une histoire de fantômes et de lucioles. Un père apparu in extremis.

Souterrains

C'était le 24 décembre. Nous n'avions pas eu de nouvelles d'Ariodel mais nous savions que le spectacle de Noël devait être prêt. Aussi incroyable que ça pût paraître, nous avons pu manger un vrai repas de Noël avant de nous rendre au hangar n° 7. C'est le gardien de notre baraquement qui nous apporta ce qui semblait être des restes. Mais dans notre cas, cela ne faisait aucune différence de savoir que des bouches et des doigts avaient peut-être déjà palpé cette nourriture. Il y avait des morceaux de poulet, des pommes de terre, des raisins et des poires flétries et même du gâteau au chocolat qui goûtait la chicorée. En prime, nous avons eu droit à du véritable café au lait. Je sus plus tard que d'autres prisonniers avaient fait le tour des poubelles dans le mess des officiers. Ils s'étaient entendus avec notre gardien pour qu'il nous apporte ces victuailles en échange d'un paquet de cigarettes et d'un mauvais gin. Je trouvais ça incroyable. Des prisonniers qui ne nous connaissaient pas et qui n'avaient même pas vu notre spectacle. L'âme humaine est mystérieuse...

Quelques heures avant le spectacle, nous avons pu répéter. Je ne peux pas dire que c'était la joie dans les coulisses et sur le plateau, mais de savoir que nous n'avions pas le choix rendait les choses plus faciles pour moi, car je n'avais pas à justifier mon inaction

106

quant à notre présence en ce camp. C'est en regardant les autres répéter leurs numéros derrière un rideau que j'aperçus Peter et Éloi qui discutaient à l'écart. Ils n'étaient pas seuls, Herman et Agnès étaient avec eux. Je ne me posai pas trop de questions jusqu'au moment où je dus m'absenter. Un militaire m'accompagna mais me laissa continuer seul après avoir reçu des ordres d'un supérieur. Personne ne le remplaça, ce qui était très surprenant. Lorsque je revins au hangar n° 7, je vis Éloi à quatre pattes sur le sol qui aidait Peter à sortir d'une espèce de trappe intégrée au plancher des coulisses. Je m'approchai en douceur et rencontrai les regards de Peter, d'Herman, de Marcello et d'Agnès qui surveillaient Peter et Éloi. Tous furent si surpris de me voir que c'en était drôle.

— Qu'est-ce qui se passe? Vous jouez à la cachette? dis-je en souriant.

Un long silence suivit ma question, ce qui me froissa. Peter fut le premier à prendre la parole.

— Nous ne jouons pas à la cachette, Albert. Nous essayons de sauver notre peau!

— Et de quelle manière? En me cachant des choses?

— Nous ne te cachons rien, Albert.

— Ne me prenez pas pour un imbécile, je sais très bien que vous êtes en train de traficoter quelque chose. Toi, dis-je en pointant Marcello. Toi, toi et toi aussi, fis-je en regardant Agnès. Je déteste qu'on me cache des choses. Je préfère de loin être confronté à la vérité.

— Albert, tu sais très bien ce qui se passe. Tu n'es pas sans savoir que nous voulons nous évader. Alors voilà. C'est ce que nous planifions, dit Agnès en s'approchant de moi.

— Et quel rôle cette trappe joue-t-elle dans votre plan?

— Le rôle central, Albert. Notre sauf-conduit pour la liberté.

Je regardai mes collègues. Je dus montrer un certain intérêt car Marcello me prit par les épaules et sourit de toutes ses dents.

— Albert, ne sois pas si soupe au lait. C'est pour nous tous que nous réfléchissons à la question de notre liberté. Ce n'est pas dans ton dos que nous jouons, mais dans celui de l'ennemi. Les Bordéniens.

Je ne savais trop quoi répondre. J'étais déchiré entre la curiosité de connaître leur plan et la colère de ne pas avoir été mis au courant avant. Mais je ne pouvais le reprocher qu'à moi-même car je n'avais jamais été très chaud à l'idée de fuir ce trou à rats. Non. J'avais trop la trouille. Moi qui n'avais peur de rien… en temps normal. Surtout pas de la mort.

Nous n'avions pas beaucoup de temps pour discuter de ce qui se passait car ce fut l'heure de nous préparer pour la représentation. Les premiers spectateurs commencèrent d'ailleurs à entrer sous le chapiteau. Nos gardiens revinrent surveiller les coulisses et les portes d'accès (il y en avait deux, dont l'une très petite qui servait à faire entrer de la marchandise sur un tapis roulant). Cette histoire de gardien me titillait beaucoup car ce n'était pas normal que nous ayons pu passer de longues minutes sans chaperon, surtout pas pendant les répétitions. Je dus oublier cette histoire car je vis Ariodel qui venait de faire son entrée sous le chapiteau.

Il faisait le paon au milieu de ses invités en gesticulant et en riant aux éclats. Il avait l'air d'un malade mental, mais c'était lui qui décidait de notre survie, et il fallait composer avec sa mégalomanie.

Lorsque la musique retentit, le bruit de la foule me déconcentra et c'est avec un peu de retard que je fis mon entrée sur la piste. Les spectateurs étaient tellement bruyants que j'arrivais à peine à entendre la musique. Malgré tout, je montai sur mon trapèze et m'élançai dans le vide, la tête pleine de lumières et de flashs de caméra. Mon numéro ne fut pas un grand succès. Je sentais que je n'étais pas là. Aussi étrange que cela puisse paraître, j'avais l'impression d'être gelé sur mon trapèze. Ma coordination était déficiente et j'eus même du mal à terminer mon numéro avec ma cascade vers le sol. Pour la première fois depuis longtemps, je ne réussis pas à livrer la marchandise. Marcello me regarda entrer dans les coulisses et me fit un signe d'encouragement. Il savait que je n'étais pas content de ma performance.

La suite du spectacle se déroula assez bien et je fus soulagé de voir qu'Ariodel semblait satisfait du spectacle. En quittant le hangar n° 7, nous aperçûmes des soldats bordéniens qui buvaient à la bouteille en zigzaguant dans la neige et la glace. Lorsque nous retournâmes à la baraque, il était presque 23 h. Plus qu'une heure avant Noël. Agnès sortit alors une petite bouteille de vodka et la partagea avec tout le monde. Je lui demandai de qui elle tenait cette bouteille et elle me répondit que c'était du père Noël. Cela fit bien rire mes collègues. Le père Noël... Comme s'il pouvait exaucer nos souhaits à partir de son royaume enneigé. Qui pouvait combler nos souhaits?... À part nous-mêmes.

Lorsque je me suis couché, il y avait encore quelques personnes qui discutaient en murmurant. J'entendis les cloches lointaines d'une église.

Lorsque je me réveillai le lendemain matin, je fus surpris de voir Agnès qui rentrait dans la baraque. Comme il était très tôt, je fis semblant de dormir et je sentis la même odeur d'alcool lorsqu'elle passa près de ma couchette. Je me levai et croisai son regard. Elle avait l'air très fatiguée, mais me sourit quand même. Je me dirigeai vers elle et m'agenouillai près de son lit.

— D'où viens-tu, Agnès?

Elle prit son temps et me regarda droit dans les yeux.

— Je ne peux pas te le dire... du moins pas tout de suite.

— Et pourquoi pas tout de suite? répondis-je en murmurant.

— Parce que c'est très important pour notre survie. Ne m'en demande pas plus Albert. Je ne te répondrai pas. Et ce n'est pas parce que je ne te fais pas confiance. Mais je n'ai pas le choix de rester muette.

Je me levai en lui faisant un petit signe d'acquiescement.

— D'accord... mais s'il te plaît, dors un peu... sinon tu ne seras plus capable de faire ton numéro.

— D'accord, merci Albert...

Je regagnai ma couchette avec une armée de hamsters qui tournaient dans ma roue, mais malgré cela je sombrai vite dans le sommeil. Il fallait en profiter car nous avions une journée de congé. C'était une bénédiction de savoir que nous n'avions pas de travaux forcés, ni froid, ni faim, ni des engelures de toute sorte. C'était le cadeau de Noël d'Ariodel. Un cadeau qui pouvait dissimuler mille ruses.

Les jours qui suivirent furent mouvementés. Ariodel nous avait préparé un horaire de travail costaud. Tout le monde le respecta, sauf Anna, car finalement Ariodel revint sur sa décision de la faire travailler. Ce qui fut pour moi un vrai soulagement. Mais pour nous, ces jours de travail forcé furent pénibles. Le mercure chuta de façon vertigineuse à la fin de décembre et notre énergie s'étiola considérablement. Ariodel nous annonça qu'il voulait un autre spectacle pour le jour de l'An. Je tentai de le persuader que nous avions besoin de repos pour être en mesure de performer, mais il rejeta cette requête. Nous avions donc à composer avec une fatigue extrême et le fait que tout le monde avait faim. Je commençai à m'inquiéter sérieusement et profitai des pauses du matin et du soir pour en savoir plus sur le « fameux » plan. Mes collègues étaient peu bavards et ils me répondaient que ce n'était pas encore le temps. Aussi paradoxal que ça puisse paraître, nous n'avions pas de temps pour nous, mais tout le temps du monde pour nous échouer sur un récif. Le temps était notre pire ennemi et notre meilleur allié.

Le jour de l'An

Le jour de l'An fut vraiment tout le contraire de ce qu'on peut attendre d'une fête. Au moment d'entrer dans le hangar n° 7 pour répéter notre spectacle, nous trouvâmes des poulets décapités qui avaient été accrochés sur les trapèzes, les fils et les accessoires. Il y avait du sang partout. C'était répugnant. Je convoquai Ariodel mais son aide de camp m'informa qu'il était à l'extérieur de Znit.

Pendant notre répétition, je remarquai qu'il y avait un gros tapis à l'endroit où se trouvait la fameuse trappe mystérieuse. Personne n'y prêta la moindre attention et je me dis que ça n'avait peut-être pas autant d'importance que je pouvais l'imaginer. Je notai également qu'il y avait un militaire (toujours le même, un certain Kasternak) qui rôdait autour d'Agnès. Il lui lançait des regards, et Agnès semblait ne pas être indifférente à ses marques d'attention. Il y avait aussi le fait que ce militaire était notre « gardien » et qu'il n'était accompagné d'aucun autre soldat. Bizarre, me dis-je... vraiment bizarre. J'en parlai aux autres et ils étaient d'accord pour dire que c'était peut-être une tactique d'Ariodel pour nous tester. Un peu comme s'il voulait voir jusqu'à quel point il pouvait nous faire confiance. Une petite guerre psychologique qui ne pouvait que nous être funeste. Lorsque nous fûmes prêts à commencer, je remarquai un rouleau de corde accroché au mur près de la trappe. Cette corde ne nous servait en rien pour le spectacle et elle n'était pas à cet endroit lors de notre plus récent passage dans les coulisses. Je surpris même Marcello qui testait la grosseur de la corde alors qu'il pensait que je ne le regardais pas... J'avais vraiment l'impression que tout le monde complotait dans mon dos. Je n'aimais pas ça.

Un coup de sifflet me ramena à la réalité. Les spectateurs avaient rempli les gradins et une ambiance de fête régnait à l'intérieur du chapiteau. De mon point de vue, je remarquai que les spectateurs se passaient des bouteilles qui ne devaient pas seulement contenir de l'eau ou du jus. Je souhaitai ardemment que ça ne se transforme pas en beuverie grotesque comme le soir de la mort d'Esteban.

Ce spectacle de fin d'année fut réussi dans l'ensemble. Et malgré le sang de poulet répandu un peu partout, les artistes du Cirque des montagnes Bleues furent éblouissants. J'en restai bouche bée. Il y eut bien quelques faiblesses et quelques ratés techniques. Comme Annabelle qui trébucha pendant son numéro de jonglerie et Zosia qui fit une chute après son numéro aérien de tissus, mais elles furent quand même chaudement applaudies. Ce qui avait sûrement un lien avec leurs costumes extrêmement seyants et sexys qui montraient plus qu'ils ne dissimulaient. Les militaires et les autres spectateurs en bavaient de désir.

C'est à ce moment que je m'aperçus qu'Anna n'était pas dans les coulisses. Je n'avais pas fait attention car je me tenais presque toujours près de la piste pendant le spectacle, question d'aider Marcello avec les accessoires et les changements de numéros. Miljenka dormait dans son petit berceau de fortune (une caisse remplie de couvertures) et Annabelle m'informa qu'elle veillait sur elle depuis qu'Anna était partie aux latrines. Mais elle-même s'étonna qu'elle ne soit pas encore revenue. Je demandai à notre gardien s'il avait vu Anna mais il me répondit que non. Après lui avoir demandé la permission, je partis à sa recherche. Je commençai par les latrines, mais elle n'était pas là. Puis je continuai vers notre baraquement, mais elle n'y était pas non plus. Lorsque je revins près du hangar n° 7, j'entendis de faibles cris qui semblaient provenir d'un camion stationné près de la porte de service. Je montai alors sur le pare-choc du camion et ouvris la toile. J'entendis un petit cri étouffé et je vis une faible lueur qui dansait tout au fond du camion, derrière ce qui semblait être des sacs empilés les uns sur les autres. Sur un coup de tête, je grimpai à bord et commençai à marcher lentement vers la source de lumière. Arrivé près des sacs, je penchai la tête pour voir mieux. À cet instant, j'eus la certitude qu'il se passait quelque chose de grave et lorsque je vis Anna complètement dénudée avec un bâillon sur la bouche, je poussai un cri. Au même moment, j'entendis un déclic et sentis quelque chose de froid sur ma tempe droite. Je me détournai et vis un homme au regard diabolique qui tenait une arme braquée sur mon visage. C'était un militaire. Il portait une barbe assez drue qui assombrissait son visage. Ses yeux étaient très petits et noirs, comme ceux d'une souris. Je demeurai figé sur place. L'homme me sourit et me fis signe de sortir du camion. Anna me regardait avec des yeux qui imploraient de la sortir de là, mais je ne savais que faire.

— Laissez-la partir s'il vous plaît, c'est ma femme, fut la seule chose qui me vint en tête.

— Non, toi tu vas partir, tu n'as rien à faire ici. Mais si tu veux assister au spectacle, ça c'est une autre histoire.

— Ne lui faites pas de mal, je vous en supplie, ne lui faites pas de mal.

— Je vais faire ce que je veux, que tu le veuilles ou non, c'est compris ?

— Laissez-la partir. Je vous donnerai ce que vous voulez.

— C'est ça que je veux, dit-il en désignant Anna qui se cachait la poitrine avec une couverture.

— Non, je ne sortirai pas d'ici ! C'est compris ? hurlai-je alors de toutes mes forces.

— Ta gueule, cria le militaire en me décochant un coup de coude à la figure.

Je tombai par terre et sentis le goût ferreux du sang qui emplissait ma bouche. C'est alors que je vis son nom cousu sur son uniforme : Mapp. Il me poussa alors avec son arme vers l'entrée du camion. Au moment où je pensais lui sauter dessus, je vis une violente lumière qui nous éclaira tous les deux. Notre gardien monta à bord du camion. Il brandissait un énorme fusil. Personne ne parla. Kasternak se rapprocha de nous et vit Anna dans le fond. Il me regarda puis me fit reculer.

— À quoi tu joues, Mapp ? dit Kasternak en le regardant droit dans les yeux.

— Je m'amuse un peu, chef, y a pas de mal… c'est le jour de l'An, on a bien le droit de se divertir.

— Le divertissement est terminé, Mapp. C'est dans le hangar que ça se passe, pas ici.

— J'étais à deux doigts de lui faire sauter la cervelle à cette andouille. Il ne voulait pas sortir, dit Mapp en me pointant avec son pistolet.

— C'est toi qui vas obéir, tu vas sortir d'ici et m'attendre à l'extérieur et ne t'avise pas de te fondre dans le décor.

Mapp resta immobile quelques instants. Puis il baissa la tête et me contourna. Kasternak le suivait des yeux.

— Eh, tu oublies quelque chose, dit Kasternak en saisissant l'arme de Mapp.

— C'est mon arme, chef, j'en ai besoin... je l'aurais pas buté, c'était juste pour rire.

— Moi, ça ne me fait pas rire, alors ou tu me remets ton arme ou je te la prends de force et je te colle une insubordination au cul, tu saisis?

— Ça va, j'ai compris...

À contrecœur, Mapp remit son arme à Kasternak. Puis il sortit du camion en me lançant un regard de vengeance. Dès qu'il fut parti, je me rendis auprès d'Anna et la prit dans mes bras. Elle sanglotait. Kasternak se rapprocha de nous et fit disparaître son fusil dans son étui.

— Pas un mot de tout ça, OK? dit-il brutalement. C'est entre lui et moi et vous. Personne d'autre. D'accord?

Je fis signe que oui.

— Vous sortirez d'ici dans quelques minutes, je ne veux pas que d'autres militaires vous voient.

J'acquiesçai et le regardai sortir du camion avec la rage au cœur. Je lui étais reconnaissant de nous avoir peut-être sauvé la vie, mais je lui en voulais de ne pas avoir buté ce salaud. Je me tournai alors vers Anna.

— Ça va… Tu es blessée? dis-je en l'aidant à se rhabiller.

— Oui, ça va… Il… il m'a juste… Il a essayé de me violer… mais ça n'a pas fonctionné. Il allait recommencer lorsque tu es arrivé.

— Qu'as-tu là? demandai-je en voyant qu'Anna se frottait le bas du ventre.

— Ce n'est rien… c'est juste une coupure.

— Montre-moi ça.

— Non, ça va, Albert, je vais bien…

— Je te dis que je veux voir ce que tu as là, répétai-je en m'impatientant.

Anna remonta son chandail et descendit sa culotte. Près de son sexe, sous un linge qui était rouge sombre, une entaille profonde.

— Qu'est-ce qu'il t'a fait?

— Lorsqu'il a vu qu'il ne pouvait pas me violer, il s'est amusé à me couper avec un poignard pour me faire écarter les jambes. Si tu n'étais pas arrivé, il allait recommencer… mais plus bas.

Nous sortîmes du camion peu de temps après, puis retournâmes dans les coulisses pour chercher Miljenka. Personne ne parla, mais tous se doutaient qu'il s'était passé quelque chose de sérieux. Annabelle prit Anna dans ses bras et elles pleurèrent toutes les deux. J'étais sous le choc, alors je n'osais imaginer comment devait se sentir Anna. Ça devait être horrible, de donner naissance à un enfant pour ensuite subir cette sauvagerie.

Lorsque les lumières de la baraque s'éteignirent et que je fus sûr qu'Anna s'était endormie, je repassai dans ma tête les images qui avaient pris d'assaut mon esprit. Ce fut à ce moment que ma relation avec le camp changea totalement. Comme les humains ont besoin de se brûler pour apprendre, j'avais eu besoin de cet incident pour y voir plus clair. Pour cesser d'être naïf et passif. Je ne pardonnerais jamais à cet homme d'avoir violenté Anna. Ni à la vie de nous avoir fait subir ces horreurs. Dieu, qui auparavant n'existait dans mon esprit que comme une entité bienfaisante devint une créature cruelle et indifférente au viol de l'âme humaine.

Réminiscence

Lorsque Albert mit fin à son récit, je vis dans son regard que ce qu'il venait de me raconter était encore brûlant comme de la lave. Je le surpris à regarder un vieux couple assis tout près de nous dans le café. Deux personnes dans les soixante-dix ou soixante-quinze ans se tenaient la main. Les enviait-il? Peut-être. Albert se leva, s'excusa et disparut vers les toilettes.

J'en profitai pour sortir mon miroir de poche. Je me regardai pour voir si mon visage reflétait quoi que ce soit, s'il me trahissait. Les yeux que je vis dans le reflet étaient noirs comme la nuit. L'élégance et la sauvagerie d'une nuit qui n'en finit pas de vous transformer en ressac. J'aurais voulu à cet instant partir loin. Surtout loin de ma mémoire.

Albert revint et commanda une bière, chose qu'il n'avait jamais faite auparavant lors de nos entretiens.

— Vous êtes bien silencieuse, Mélaine. Je vous ai fait perdre la parole? dit Albert en écumant sa bière.

— Non… Je pensais à cet homme, ce Mapp. L'avez-vous revu?

— Pourquoi me demandez-vous ça?

— Parce que je me disais que vous avez sûrement eu envie de vous venger… Je me trompe?

— C'est juste… Oui.

— Alors est-ce que vous l'avez revu?

— Oui… et non… enfin je pense l'avoir revu plus tard.

— Et qu'avez-vous fait?

— J'ai fait ce que vous apprendrez plus tard, dit-il en souriant.

— Si je comprends bien, ça signifie sois patiente, Mélaine, chaque chose en son temps.

— C'est à peu près ça… De toute façon, nous nous revoyons demain. Vous n'aurez pas longtemps à attendre…

— C'est vrai, répondis-je en cachant ma déception.

Albert semblait avoir terriblement vieilli au cours des dernières semaines. Il était clair que raconter sa vie ainsi, à vif, ne se faisait jamais sans douleur.

Le plan

Les jours qui suivirent l'agression d'Anna furent très durs pour notre petite troupe. Même s'il y avait eu auparavant la mort d'Esteban comme événement pénible, le viol d'Anna pesait lourdement sur nos épaules. Personne n'en parla. J'avais l'impression qu'il fallait que je fasse les premiers pas et que je verbalise. Anna était très déprimée et avait beaucoup de mal à s'occuper de Miljenka. Avec les travaux forcés qui continuaient de siphonner toute notre énergie et les cas de grippe et de bronchite, il n'y avait presque personne pour veiller sur Miljenka et Anna. Parfois c'était Annabelle, parfois c'était Marcello ou Zosia. Il était clair que nous ne pouvions plus continuer… Le mur était là et nous nous en rapprochions à une vitesse vertigineuse.

Ariodel nous annonça qu'il voulait un nouveau spectacle pour la mi-janvier. Nous devions être prêts, car des membres de l'état-major des forces bordéniennes seraient en visite à Znit. Notre cirque était très populaire parmi les militaires et les civils. Mais à l'extérieur de la Bordénie, personne ne se doutait que nous étions le Cirque des montagnes Bleues. Je me demandais ce que les autres membres de la troupe étaient devenus. Étaient-ils retournés dans leurs pays? Avaient-ils été faits prisonniers comme nous? Je ne savais rien.

J'aurais aussi aimé avoir des nouvelles du front, mais il était impossible de glaner des informations à ce sujet. Et comme nous n'avions pas de contact avec les autres prisonniers, la chaîne de transmission des potins, nouvelles et ragots s'arrêtait avant d'atteindre notre baraque. Mais un bon matin, un prisonnier esporien vint nous visiter par erreur. Il se présenta à nous à l'heure du déjeuner, seul et sans escorte militaire. On l'avait envoyé à notre baraque pour nous donner un coup de main. Je n'avais aucune idée de ce qu'il faisait là, mais nous lui souhaitâmes quand même la bienvenue et lui offrîmes de partager notre thé noir et notre pain rassis. Martin nous relata son aventure : il avait été fait prisonnier alors qu'il chassait le gibier dans une forêt près de Pertovia, un village situé dans le nord de l'Espora. Il chassait pour lui et pour nourrir des villageois coupés du reste du monde puisque Pertovia était située dans une zone très reculée. Une seule route y menait, et le pont de la rivière Jaune avait été bombardé par les Bordéniens. Le lien de ravitaillement avait donc été coupé. Martin nous apprit également que le front s'était déplacé à plusieurs endroits, notamment dans le Sud (près de Pavoly, mon lieu de naissance) et dans l'Ouest. Les troupes esporiennes faisaient du surplace autour de Choslow pour tenter de reprendre possession de la ville mais les Bordéniens les bombardaient sans arrêt depuis plusieurs jours. Cette guerre qui avait débuté dans la région des montagnes Bleues s'était étendue à l'ensemble des deux pays. C'était, selon Martin, un véritable bourbier et la fin de la guerre ne serait possible que si les Nations Unies ou d'autres pays occidentaux s'en mêlaient. Ce fut tout ce que Martin put nous apprendre. C'était bien suffisant pour moi. Il était clair que cette guerre était loin de se terminer et j'envisageai sérieusement la possibilité de nous extirper de ce trou à rats avant d'y laisser notre peau. Lorsque nos chaperons arrivèrent, ils nous demandèrent de les suivre pour les travaux forcés. Martin se faufila parmi nous et personne ne s'en formalisa. Le prisonnier était robuste, il avait l'énergie de quelqu'un qui venait tout juste d'arriver. Les militaires en profitèrent pour lui faire faire du travail que nous peinions à effectuer.

Quand tout le monde revint, je décidai de discuter de la situation. Mais la présence de Martin me tracassait. Il fallait se méfier de quiconque ne faisant pas partie de notre troupe. J'en glissai un mot à Marcello qui était d'accord avec moi. Nous ne pouvions prendre la chance de parler ouvertement avec lui dans la baraque. Mais je me sentais mal de lui demander de s'en aller pour que nous puissions discuter entre nous. Peu après le souper, chacun regagna sa couchette. Il était 18 h et j'avais l'impression d'être réveillé depuis vingt-quatre heures. Nous étions tous épuisés et Martin fut l'un des premiers à s'endormir. C'était un fameux ronfleur, mais ce raffut faisait mon affaire, car nous pûmes ainsi discuter entre nous. Anna et Miljenka dormaient, et ce fut la première chose qui figurait sur ma liste, mis à part Marcello qui toussait comme un damné. Je m'approchai de lui et fit signe à tout le monde de faire cercle autour.

— J'aurais envie de vous dire plein de choses… que je suis fier de vous, que je vous trouve extraordinaires, que je vous aime… mais maintenant j'ai envie de vous dire… quand est-ce qu'on met les voiles et qu'on se tire de ce trou? Est-ce que c'est assez clair? dis-je en regardant chacun de mes artistes droit dans les yeux.

— Nous n'attendions que toi, Albert, acquiesça Agnès. Nous sommes prêts.

— Je sais que tu as quelque chose qui mijote par rapport à cela…

— Oui, c'est vrai… j'ai fait quelque chose que je ne pensais jamais pouvoir faire, mais je n'avais pas le choix, du moins j'ai choisi de ne pas avoir le choix, fit Agnès avec difficulté.

— Agnès a été très courageuse, Albert… on peut dire qu'elle s'est donnée pour nous tous, ajouta Herman en la regardant.

— Tu as couché avec lui?

— Oui, plusieurs fois. C'est même de cette manière que j'ai réussi à l'apprivoiser et à le mettre dans ma poche.

— Et qu'est-ce qui s'est passé ensuite?

— Eh bien, soir après soir, j'ai gagné un peu plus sa confiance et ça a porté fruit… Disons qu'il aime bien la bouteille, et j'ai réussi à capitaliser là-dessus.

— De quelle façon?

— Eh bien, Kasternak est responsable du transport du matériel et je connais maintenant son horaire et à quel moment le camion sera stationné près du hangar n° 7. La seule chose que je ne sais pas, c'est à quel moment il effectue ces transports seul ou avec un coéquipier. Je pense que ça varie selon le type de cargaison ou la destination… Nous comptons sur la présence de ce camion pour nous dissimuler, mais ça ce n'est qu'une partie du plan, ajouta-t-elle en regardant les autres.

— Albert, est-ce que tu as remarqué la trappe qui est dans les coulisses? me demanda Herman.

— Oui, je l'ai vue… un peu grâce à vous, dis-je en souriant.

— Eh bien cette trappe est notre sauf-conduit pour la liberté, fit Herman. Elle mène à un espace très bas de plafond qui fait toute la superficie du hangar n° 7. En marchant à quatre pattes, nous avons découvert une porte qui donne sur l'extérieur, à quelques mètres du camion. Le seul problème, c'est qu'il n'y a aucune lumière sous le hangar, et que c'est très grand. Il faut donc baliser un chemin pour éviter qu'on se perde en essayant de trouver la porte. C'est là que la corde entre en jeu. On va installer un piquet à l'entrée de la trappe des coulisses et un autre près de la porte qui ouvre sur le stationnement des camions. Avec une lampe de poche, on va suspendre la corde entre les piquets et on pourra ainsi se frayer un chemin sous le hangar. Est-ce que tu me suis, Albert?

J'étais réellement bouche bée. Mes petits démons d'artistes étaient pleins de ressources dont je n'aurais jamais pu imaginer l'existence. C'était fascinant.

— Oui, ça va, tu peux continuer, dis-je en essayant de ne pas avoir l'air trop dépassé.

— Eh bien, voilà, lorsque nous serons prêts, nous profiterons d'un de nos spectacles pour nous volatili-ser dans la brousse. Chacun notre tour, après notre numéro, nous descendrons sous le hangar, ramperons vers une petite porte basse dissimulée par des pneus et des planches de bois. Nous monterons ensuite à bord du camion et nous nous cacherons sous les bâches de plastique.

— Et tout ça sous le nez de notre chaperon et des autres gardes! Ça me paraît assez extravagant comme plan.

— Laisse-moi terminer, Albert. Tu vois, ce soir-là, Kasternak sera avec Agnès, mais il devra effectuer un transport à l'extérieur du camp. Agnès le retardera juste assez pour nous permettre de grimper dans le camion et pour nous y cacher. Quant à l'autre garde, celui des coulisses, nous allons le neutraliser avec les moyens du bord et le cacher sous une toile. Puis on fera comme s'il n'y avait personne pour nous surveiller… chose qui est arrivée quelquefois depuis le début de nos spectacles.

— Et comment on fera pour disparaître l'un après l'autre pendant le spectacle?

— Au début, il n'y aura personne sous le hangar. Tu seras le premier à t'y rendre, Albert. Puis, à la fin de son numéro, X ou Y se glissera dans le sous-sol et se rendra jusqu'à la porte puis jusqu'au camion. N'oublie pas, il fera noir et il n'y a jamais personne qui garde ce camion. Mais tu seras le gardien de la porte, Albert, jusqu'au suivant. S'il y a quelque chose qui cloche, X ou Y donnera deux coups sur la corde et ça fera tinter la cloche qui sera accrochée à la corde près de la trappe dans les coulisses.

Je ne savais quoi penser de ce plan. C'était risqué, très risqué, mais il n'y avait sans doute pas de plan totalement sécuritaire.

— Et qu'est-ce qu'on fait avec Anna et Miljenka? Je vois mal comment Anna pourra transporter le bébé en rampant sous le hangar, demandais-je un peu sceptique.

— On verra à ce moment-là… on pourra peut-être faire en sorte qu'Anna puisse monter dans le camion en passant par l'extérieur, près du garage, répondit Agnès.

— Oui, c'est une bonne idée, ça sera moins risqué pour Anna, mais il faudra attendre que notre gardien soit neutralisé, répliqua Herman.

— De toute façon, le plan risque de changer si les dates du spectacle sont modifiées. Et il y a le temps aussi. S'il fait tempête, ça risque de tout bousiller, nota Peter.

Quelques secondes passèrent. On entendit Martin qui toussotait dans son lit. Nous le vîmes alors se lever et se diriger vers nous. Je lançai un regard aux autres.

— Il est pas mal votre plan, mais il y a plusieurs zones grises… Je ne suis pas sûr que tous les éléments se mettront en place aussi facilement, fit Martin en se roulant une cigarette.

J'étais surpris de le voir debout. Encore plus d'apprendre qu'il avait entendu une bonne partie de notre discussion.

— Ça fait longtemps que tu nous écoutes? demanda Marcello.

— J'ai seulement raté le début… mais vous tenez quelque chose. Reste à peaufiner certains détails.

— Quels détails? demandai-je.

— La question des gardes est bancale. S'il y en a un de plus, votre plan tombe à l'eau. Si des militaires se pointent par surprise parce qu'ils ne voient personne à l'extérieur près de la porte des coulisses, vous êtes cuits. Et que faites-vous du Kasternak en question, il va dormir jusqu'à ce que ça soit l'heure de son transport? Il faudrait qu'Agnès l'occupe jusqu'à la fin, sans faire son numéro ou en le faisant en dernier.

Nous regardâmes Martin pendant de longues secondes sans rien dire. Il resta silencieux et tira une bouffée de sa cigarette.

— Quoi, qu'est-ce qu'il y a, c'est idiot ce que je dis?

— Non, c'est pas idiot… mais je me demande comment tu peux visualiser toute la géographie du camp et du hangar en étant ici depuis seulement quelques jours, lança Herman, avec son air inquisiteur.

— Eh, j'ai l'œil, blagua Martin en pointant son œil gauche. Ça ne m'a pas pris dix ans pour visualiser tout ça, comme tu dis. Il n'y a qu'à vous écouter… et prendre des notes.

— Tu vas nous aider?

— Oui, si je peux… Moi aussi je ne veux pas m'enliser dans ce camp de merde, mais il faudra quand même parfaire le plan si on ne veut pas se faire rôtir la cervelle.

Je sentis une certaine crainte autour de moi. Nous étions tous en eau trouble, mais jamais un inconnu n'avait partagé notre quotidien jusqu'à maintenant. C'était une nouvelle donne.

— Et vous autres, ça vous va? demandai-je en essayant de saisir le non verbal.

— Oui, mais ça ne veut pas dire qu'on lui fait confiance aveuglément, ajouta Marcello.

— Je sais que ça peut paraître bizarre que je sois ici au moment où vous échafaudez un plan d'évasion, mais je n'ai pas demandé à venir ici, moi. Je n'ai rien demandé du tout.

— D'accord, Martin. On va tous dormir là-dessus si ça ne te dérange pas car j'ai un mal de crâne d'enfer. On en reparle demain et on fait le point.

Les autres acquiescèrent. J'avais visé juste. Nous étions tous fatigués et ma tête tournait comme un carrousel. Personne ne se fit prier. Malgré la fatigue, j'étais sûr que tout ce qui s'était dit ce soir allait nous tenir éveillés quelques minutes. Nous avions cassé la glace. Il fallait maintenant passer à l'action.

Le lendemain, une nouvelle surprise nous attendait. D'habitude les travaux ne se déroulaient pas très loin de l'enceinte du camp de Znit. Ce qui représentait tout au plus quelques minutes de marche. Mais là, nous devions nous rendre dans une usine désaffectée, ce qui représentait au moins quatre kilomètres aller-retour.

Notre travail consistait à nettoyer une immense usine qui avait servi autrefois à la fabrication de produits chimiques et de solvants. À présent, cet immeuble ne servait plus, mais il était fortement contaminé. Nous étions donc les cobayes de service dont la tâche consistait à nettoyer les planchers et les murs et à transporter des barils et des chaudières de rebuts toxiques dans des conteneurs. Je n'avais jamais vu autant d'étiquettes avec des têtes de mort de toute ma vie. C'était un travail que nous savions dangereux pour notre santé, mais en même temps, le simple fait d'être dans un lieu différent et de savoir que nous allions mettre notre plan à exécution nous remontait le moral. Il n'en fallait pas beaucoup pour modifier notre humeur. Et lorsque Martin nous présenta un revolver quelques jours plus tard, nous fûmes tous bouche bée. Nous le questionnâmes sur la provenance de l'arme, sans succès. Il tenait à garder ses sources. Je le comprenais. De son côté Agnès avait eu vent auprès de Kasternak qu'un transport important allait partir de Znit le soir même de la première de notre nouveau spectacle, soit le 15 janvier. Nous nous regardâmes avec incrédulité.

— Voilà notre date ! s'exclama Marcello.

— Mais toutes les grosses légumes vont être là, objectai-je.

— Non, ils ne seront pas là ce soir-là, répliqua Agnès en s'allumant une cigarette.

— Qui te l'a dit, Kasternak?

— Oui, il m'a dit que ça serait son dernier transport, un transport important, et qu'ensuite il changerait de grade et deviendrait un chef de section à Znit.

— Et tu as une idée de l'heure où il va partir? demandai-je un peu incrédule.

— C'est toujours à la même heure… 21 h, 21 h 30… jamais plus tard.

— Ça va être serré avec notre spectacle, on finit toujours à 22 h. Qu'est-ce qu'on va faire? Essayer de persuader Ariodel de retarder l'heure du début? Le connaissant, il n'acceptera pas, on ne doit pas toucher à l'heure du spectacle, sinon, il pourrait se douter de quelque chose…

— Qui ça?

— Ben, Ariodel, merde, sûrement pas Tintin et Milou! rétorquai-je en souriant.

— Qu'est-ce qu'il y a de si important dans ce camion? demanda Martin qui s'approcha d'Agnès (je n'étais pas le seul à avoir remarqué qu'il semblait trouver Agnès très intéressante).

— Du matériel électronique, des radios émettrices et d'autres trucs du genre.

— Et il t'a dit tout ça sans s'imaginer que tu allais le trahir?

— Ben oui…

— Tu m'étonnes Agnès, une vraie petite espionne! ajouta Éloi en riant.

— Oui, il est fou amoureux de moi. Je crois même qu'il voudrait m'avoir comme secrétaire ou quelque chose du genre. Non mais, vous me voyez secrétaire, à faire l'équilibriste avec une machine à écrire sur la tête et des trombones dans les oreilles!

Nous avons tous bien ri, mais nerveusement. En réalité, nous commencions à réaliser que les éléments se mettaient en place lentement mais sûrement, ce qui voulait dire que nous pouvions tenter le coup le 15 janvier, soir de première. Mais il y avait encore beaucoup à faire.

De son côté, Anna n'allait pas tellement bien. Elle était déprimée et avait besoin de toute son énergie mentale et physique pour venir à bout de ses journées. Nous étions très chanceux d'avoir Annabelle, Agnès et Elena qui pouvaient prendre le relais auprès de Miljenka, car Anna n'était pas toujours capable de s'en occuper. Il était clair qu'elle avait eu des carences alimentaires pendant les dernières semaines de sa grossesse, et l'allaitement avait un impact direct sur son énergie et ses forces. J'avais essayé sans grand succès d'obtenir d'Ariodel des rations supplémentaires de lait et de viande pour Anna, mais il ne voulait rien savoir. Selon lui nous avions assez de privilèges.

Ce soir-là, je pris Anna dans mes bras et la serrai contre moi. Je ne l'avais jamais vue pleurer autant. Zosia et Annabelle pensaient que c'était la déprime post-partum. Cet état dépressif dans des circonstances normales devait être décuplé lors d'événements dramatiques comme ceux que nous vivions. Pendant qu'Anna reposait sur mon épaule, je regardais Miljenka qui dormait en petite boule dans son panier. Ce qui se passait au camp était tellement aberrant que je réalisais à peine que j'étais père. Je m'en voulais de ne pas en profiter plus, mais tout ce que nous pouvions faire pour survivre devait être fait, même au détriment du temps et de l'énergie que je pouvais consacrer à ma petite fille et par ricochet à Anna. Il fallait donc se réserver de minuscules moments de répit, comme ceux-ci. Anna s'endormit dans mes bras et, malgré l'étroitesse du lit, nous réussîmes à passer la nuit ensemble.

Le lendemain, c'était le jour de la préparation du spectacle. Tout le monde était là sauf Martin qui avait dû se plier à la routine du travail forcé. Ce n'était pas la longue route pour l'usine qui allait nous manquer, d'autant plus qu'il faisait extrêmement froid et que le vent incessant n'arrangeait rien. Nous pûmes à tour de rôle descendre dans le sous-sol du hangar n° 7 et installer notre système de corde tout en vérifiant si tout était prêt. Ce ne fut pas facile car nos lampes de poche n'étaient pas performantes et le sol partiellement gelé était couvert de détritus. Malgré tout cela, Marcello n'était pas peu fier du système d'œillets qui permettait à la corde d'être tirée d'un coup sec. Nous avions également installé une clochette à l'entrée de la trappe intérieure et une autre à la porte extérieure dans le sous-sol, ce qui tiendrait lieu de signal d'alarme autant pour ceux qui attendraient dans le sous-sol pour sortir à l'extérieur que pour ceux qui seraient dans les coulisses.

Et tout cela devait être fait rapidement car nous n'avions pas beaucoup de marge de manœuvre. En fait, il restait à peine six jours avant le soir de la première et il fallait répéter les quelques nouveaux numéros que nous avions prévus pour le spectacle. Grosso modo, il s'agissait de numéros plus anciens que nous allions intégrer aux numéros existants. Le but était de retenir l'attention des spectateurs sur la piste et sur ceux et celles qui exécutaient les numéros. Nous avions même prévu de « déshabiller » au maximum les filles pour que les hommes gardent les yeux sur elles. Tout pour éviter des regards inquisiteurs vers les coulisses et l'arrière de la scène.

Plusieurs des nôtres manquaient à l'appel lorsque nous retournâmes à notre baraquement. Agnès était disparue, Martin n'était pas revenu de sa journée de travail forcé et Annabelle était partie à l'infirmerie. Le soir même, dans la baraque, nous continuions de préparer le terrain. Il fallait maintenant un uniforme, mais comme Éloi le précisait, nous n'avions qu'à prendre celui du garde que nous allions assommer dans les coulisses.

Ce soir-là, le sommeil tarda à venir. Je ne pouvais m'empêcher de penser à Martin qui n'était toujours pas revenu. Fallait-il s'inquiéter, douter de lui ? Oui. Je considérais son arrivée comme suspecte. Tout pouvait s'acheter à Znit. J'entendis alors Marcello et Annabelle qui toussaient comme des damnés, puis une souris qui grignotait quelque chose sous mon lit, puis plus rien.

Tout était silencieux. Trop silencieux. Notre gardien se présenta à l'heure habituelle. C'était lui qui nous réveillait et nous accompagnait à l'usine, mais ce matin, il ne semblait pas trop pressé de retourner dehors. C'était compréhensible. La neige tombait à plein ciel et le vent tourbillonnait en créant des chorégraphies de poudrerie dans les fenêtres. Personne ne se pressa donc pour se lever, se débarbouiller et manger. Par miracle ce matin-là, il y avait des morceaux de pêches et des noix dans notre gruau habituellement infâme. Sans doute des restes des officiers. Personne n'en parlait, mais le lit vide de Martin n'était pas pour nous rassurer.

La route fut longue et pénible, et lorsque nous arrivâmes à l'usine de Znit, nous étions complètement gelés et morts de fatigue. Je pensais à Anna qui avait pu rester à la baraque grâce à notre gardien. En entrant dans l'enceinte de l'usine, nous aperçûmes des officiers qui discutaient. Ils nous regardèrent et firent signe à notre gardien d'aller les rejoindre. Nous restâmes à ne rien faire pendant de longues minutes. Lorsqu'il revint, ce fut pour nous dire qu'il y avait eu des émanations toxiques graves dans le bâtiment et que plusieurs personnes en avaient été sérieusement affectées. Certains étaient dans un état comateux. Martin faisait partie des pires cas. Il avait été transféré dans un autre camp, à plusieurs kilomètres de là. Je ne voulais pas abuser de la patience de notre gardien, mais lui demandai s'il pensait qu'on pouvait espérer le revoir bientôt. Il ne répondit pas, mais à son regard je compris qu'on ne devait pas s'imaginer revoir Martin à court ou à moyen terme.

Il n'y avait donc pas de travail pour nous. Il fallait comprendre que s'il n'y avait que des prisonniers esporiens dans l'immeuble, ce n'était pas grave, mais ces émanations touchaient également les civils et les militaires bordéniens qui devaient aussi travailler au nettoyage. C'est pour cela que nous retournâmes au camp. Après plusieurs heures de route dans la neige et le vent, je me disais que cet aller-retour loufoque valait bien une journée de travail nomade. En fait, c'était sûrement le but. Nous épuiser pour mieux nous éliminer. Marcello me rappela que Martin avait caché son revolver dans la baraque. Mais, après avoir cherché partout, nous ne trouvâmes rien. Je me demandais s'il ne l'avait tout simplement pas emportée avec lui à l'usine. Ce qui aurait été insensé. J'aperçus alors Anna qui montrait Miljenka du doigt. La petite venait de se réveiller et semblait sourire. Tout à coup Annabelle s'approcha de Miljenka et se baissa pour la prendre dans ses bras. Elle nous invita ensuite à fouiller dans le panier. Le revolver était là. Anna faillit s'évanouir, mais il n'y avait pas de balles dans le revolver. Elles avaient été mises dans une petite boîte métallique juste sous l'oreiller. Martin était moins fou que je pensais. Maintenant, il fallait agir… sans lui.

Le passage vers l'inconnu

Il y avait beaucoup de nervosité et de peur dans l'air lorsque nous avons quitté la baraque en direction du hangar n°7. C'était « ce soir » que nous allions tenter de nous libérer des griffes du camp et de ses geôliers. Nous avions tout repensé, et il était clair qu'il y avait quelques failles dans notre plan. S'il y avait un pépin dans le déroulement des numéros, cela compliquerait considérablement notre fuite. De même, si Agnès ne réussissait pas à retarder suffisamment Kasternak, nous pourrions être obligés d'attendre avant de monter dans le camion, ce qui représenterait un risque pour ceux qui seraient dans le sous-sol. Enfin, nous souhaitions ardemment que Kasternak soit seul à conduire le camion, et le seul à neutraliser le cas échéant. De toute façon, nous n'avions pas le choix.

Ce soir-là, une faible neige commença à tomber. On sentait que le vent allait se lever. J'espérais que ce ne serait pas le début d'une tempête car cela aurait pu empêcher Kasternak d'effectuer son transport comme prévu.

Lorsque nous entrâmes dans les coulisses, le militaire qui avait la charge de nous surveiller nous accueillit avec un air passablement joyeux. Je compris pourquoi lorsqu'il me remercia pour la bouteille de whisky. Je n'y étais pour rien mais je feignis d'être le distributeur de cadeaux. Juste avant de nous quitter pour aller rejoindre Kasternak, Agnès me fit un clin d'œil. Je compris que c'était elle qui avait donné cette bouteille à notre gardien.

Pour le reste, tout le monde était fin prêt. Les filles étaient de bonne humeur et passablement sexy dans leurs costumes des grands jours.

Pendant que notre gardien fumait et buvait à l'extérieur, nous avons vérifié discrètement que tout notre matériel était prêt. Peter attendait le moment propice pour aller porter une toile noire (un des accessoires de notre spectacle) dans le camion. Anna était assise dans un coin, sur une chaise droite, avec Miljenka qui dormait dans un petit panier, emmitouflée dans des couvertures. Elle me regardait sans dire un mot. Je lui souris. J'essayais de cacher ma nervosité, mais je devais également me concentrer sur mon numéro. Les spectateurs étaient nombreux. La salle semblait comble. Malgré l'hiver et malgré la guerre, ce qui était fort étonnant. Les Bordéniens avaient besoin de se divertir et nous étions une manne inespérée. J'avais hâte de mettre fin à cette mascarade morbide.

Lorsque la musique de notre petit système de son s'éleva, Marcello fit son entrée sur la piste. C'était lui qui cumulait les fonctions de technicien et de maître de piste. Il annonça le spectacle avec une verve que je ne lui connaissais pas. Il réussit même à faire rire la salle. Puis ce fut mon tour. Je courus vers le trapèze. Juste avant de me hisser dans les airs, je croisai le regard d'Ariodel. Il semblait étrangement sérieux, plus que d'habitude.

Lorsque je revins dans les coulisses, je remarquai Peter qui me montra du doigt une forme allongée dans un coin. C'était notre gardien. «Il en a pour un bon bout de temps… avec le coup qu'il a reçu, plus l'alcool qu'il a ingurgité», lança Peter en préparant le tissu noir. C'était le signal pour l'embarquement d'Anna et de Miljenka. Les adieux se firent promptement, c'était mieux comme ça. J'embrassai Anna et lui dis que nous allions tous la rejoindre bientôt. Elle essaya de cacher ses larmes, rapprocha le panier qui contenait Miljenka, et je déposai un baiser sur son petit front. Puis elle s'en alla avec Peter.

De son côté, Annabelle était déjà en piste. Elle n'était pas tout à fait remise de sa vilaine bronchite, mais elle était l'une des plus vaillantes de la troupe. Un roc, un phare, un feu dans la nuit. Juste à entendre les sifflets et les cris des spectateurs, je compris qu'elle les avait dans sa poche. Son numéro de marionnettes et de jonglerie était toujours très apprécié, que ce soit ici ou ailleurs. Et sa flamboyante chevelure rousse et sa peau blanche fascinaient les hommes, et même les femmes. Ce soir-là, elle semblait possédée par les feux de l'enfer, et je sentais que beaucoup d'hommes seraient volontiers allés la rejoindre dans cette fournaise.

Ce fut à ce moment-là que je dus me battre avec Peter parce qu'il insistait pour que j'aille rejoindre Anna tout de suite. Je n'avais même pensé à cela, car je m'étais imaginé que je serais le dernier à m'engouffrer dans le sous-sol.

— Je vais attendre un peu, je veux voir si tout se passe bien ici, répondis-je à Peter.

— C'est hors de question, tu as une petite fille qui t'attend, et je n'ai pas envie qu'elle perde son père ce soir! Allez hop, dans le trou, monsieur Albert! On se reverra tout à l'heure.

Au même moment, Annabelle fit son apparition dans les coulisses sous les bravos de la foule.

— Tu es encore là, toi, allez, du balai! m'ordonna-t-elle en souriant.

Je la serrai dans mes bras et lui souhaitai bonne chance. Puis je descendis dans la trappe à reculons, sentant que je n'aurais plus de pouvoir sur notre plan d'évasion. Je me retrouvai donc dans le noir, respirant une odeur indéfinissable. Même si je l'avais déjà fait, les quelques mètres à ramper sur le sol gelé furent assez pénibles. Nous étions chanceux d'avoir la corde, car il faisait tellement noir là-dessous que je ne voyais même pas mes mains. Nous avions convenu que ce serait la personne qui allait faire le guet dans le sous-sol qui aurait la lampe, ce qui était logique. Alors, comme je venais de l'apprendre, Annabelle allait pouvoir s'éclairer et éclairer le chemin pour les autres. Elle serait aussi en charge de la clochette.

Quelques minutes plus tard, j'atteignis la petite porte qui donnait sur l'extérieur. Je fus surpris par une bourrasque qui s'engouffra dans l'ouverture. On ne voyait presque rien malgré la présence d'un très gros lampadaire. C'est d'ailleurs ce qui attira mon regard. Le lampadaire était éteint. Chose tout à fait surprenante, car c'était cette lumière qui éclairait le débarcadère du six tonnes. Je n'en fis pas plus de cas et m'extirpai de l'entrée du sous-sol en rampant dans la neige fraîche vers le camion. Je montai à bord en regardant vers le mirador ouest, celui qui était le plus près du hangar nº 7. La visibilité n'était pas très bonne et je me disais que les militaires ne devaient pas voir grand-chose même avec leurs projecteurs. Une fois à bord, je remarquai qu'il y avait beaucoup de caisses et qu'il semblait ne pas y avoir autant d'espace que prévu. En fait, Agnès nous avait dit que le camion serait à peu près vide, ce qui n'était pas le cas. Je me rendis vers l'arrière du camion et appelai Anna en chuchotant.

— Je suis ici, Albert, dans le coin, sous les bâches noires, répondit Anna.

Je m'installai à mon tour sous les bâches et la serrai dans mes bras.

— Tu savais que j'allais être le premier à venir ?

— Oui, c'était ce qui était convenu avec les autres.

— Merci de m'en avoir parlé, répliquai-je.

— De toute façon, qu'est-ce que ça change. Si tout foire, que tu sois à l'intérieur ou ici, ça ne changera rien. Les autres savent très bien ce qu'ils doivent faire. Ne t'inquiète pas, fais-leur confiance.

— Oui, tu as raison, je suis un peu paranoïaque… C'est comme si je ne faisais plus confiance à personne, du moins pour ce soir.

— Tu vas voir, tout va bien se passer…

— Si tu le dis, répondis-je sans grande certitude.

À partir de ce moment, je ne peux raconter le reste de cette soirée que par le biais de ce que les autres m'en ont dit. J'étais anxieux et mort de peur. Pour Anna et Miljenka, mais pas pour moi. Étrangement, c'est comme si une partie de moi avait renoncé à la vie. À cette vie, à ce camp, à cet état de sous-humain. Je n'avais pas peur de la mort, pas peur de rencontrer mes geôliers en enfer. Pas peur du sang et de la torture.

Anna s'était appuyée sur moi. Miljenka dormait. Tout était curieusement silencieux. Je sentais mes battements de cœur comme si j'étais sous l'eau.

Peter et Éloi présentèrent leur numéro d'hommes forts comme à l'habitude, tout en finesse et puissance. Depuis qu'il avaient intégré une dimension de lutte gréco-romaine à leur numéro, les réactions des spectateurs étaient de plus en plus positives, même ici. Ce soir, à l'instar des autres membres de la troupe, il y avait quelque chose d'intense et d'impétueux dans leur numéro. Lorsqu'ils quittèrent la piste, Peter décida de rester dans les coulisses au cas où il y aurait des ennuis avec le gardien. Éloi descendit donc dans le trou et alla faire le guet à l'entrée de la trappe extérieure. Puis ce fut le tour de Beatrix, Fabian et Zosia de venir nous rejoindre dans le camion. Ils se cachèrent sous les bâches. Jusque-là, tout se déroulait relativement bien. Nous espérions que cela continue.

Quelques minutes passèrent. De temps à autre nous entendions les spectateurs se manifester. C'était un son tout à fait rassurant puisqu'il signifiait que le spectacle se poursuivait sans anicroche. C'est à ce moment qu'Éloi aperçut un militaire qui se dirigeait vers le camion. Un militaire qui portait une arme lourde. Ça, ce n'était pas prévu. Le militaire jeta un coup d'œil vers l'entrée des coulisses puis monta à bord du camion. Nous entendîmes alors la radio CB qui grésilla puis quelqu'un qui parlait. Nous n'avions aucune idée de ce qui se passait. Le soldat resta dans le camion quelques minutes puis descendit et s'éloigna en direction des baraquements militaires. Éloi vit alors Agnès qui s'approchait de la trappe extérieure. Elle se pencha et lui dit que Kasternak avait reçu un appel d'Ariodel et qu'il fallait qu'il parte sur-le-champ. Elle avait réussi à le retarder un peu, mais il était en train de se préparer. Éloi tira un coup sur la corde. Peter entendit la cloche et fit signe à Herman de ne pas descendre tout de suite. Annabelle venait de commencer son dernier numéro lorsque Agnès pénétra dans les coulisses. Elle les mit au courant de ce qui se passait et prévint tout le monde qu'il fallait partir maintenant, chose qui était tout à fait impossible puisque Annabelle était en piste. Il n'y avait donc plus aucune marge de manœuvre. Marcello fit signe à Annabelle de mettre fin à son numéro. Mais celle-ci ne le vit pas. Marcello s'approcha encore plus de la piste et continua d'essayer d'attirer son attention au risque de se faire repérer par Ariodel ou d'autres militaires. Pendant ce temps, Peter forçait Agnès et Herman à descendre dans le trou. Lorsque Agnès atteignit la trappe extérieure, elle regarda derrière elle pour voir si Herman la suivait, mais il n'était pas là. Éloi poussa Agnès à l'extérieur dans la neige et lui dit de déguerpir, mais Agnès lui demanda de venir avec elle. Éloi regarda une dernière fois pour voir s'il y avait quelqu'un d'autre dans le sous-sol puis suivit Agnès à contrecœur. Ils rampèrent dans la neige et montèrent dans le camion. Ils eurent à peine le temps de fermer la porte arrière et de se cacher sous les bâches avant d'entendre la voix de Kasternak et de l'autre militaire. Quelques minutes passèrent puis on entendit le claquement des portières. Peu de temps après, le moteur se mit à vrombir et le camion démarra lentement.

Une fois le camion en mouvement, je sortis la tête de la bâche et aperçus la lumière d'une lampe qui venait vers moi. Je restai figé sur place mais poussai un long soupir lorsque je vis que c'étaient Éloi et Agnès. Ce sont eux qui m'annoncèrent la triste nouvelle. À présent, nous étions à la merci de ce qui allait se passer dans le hangar n° 7. Nous n'étions plus maîtres de notre évasion mais totalement soumis au destin. Anna, Zosia et les autres sortirent à leur tour de leur cachette. Ils avaient l'air effarés et me submergèrent de questions, mais tout ce que je pus leur dire est que le plan n'avait pas fonctionné comme prévu et que plusieurs des nôtres n'avaient pas eu le temps de sortir du hangar n° 7. Nous étions là et en vie et il fallait maintenant essayer de se sortir de ce vilain guêpier. Je leur demandai de rester cachés, du moins jusqu'à nouvel ordre. Je fis alors le point avec Agnès et Éloi. Ce dernier fut soulagé d'apprendre que j'avais le revolver de Martin et des munitions. Nous avions au moins cela si les choses tournaient mal. Éloi me demanda si l'arme était chargée. Je lui fis signe que non. Il en profita pour me montrer comment charger le revolver et comment tirer. Je n'avais jamais tenu une arme chargée et j'étais très nerveux. Éloi me dit qu'il préférait que je la garde sur moi, car lui pouvait se débrouiller autrement. Il me montra alors une tige de fer qu'il avait trouvée dans le camion. J'étais content qu'il soit là.

Nous étions passablement secoués par ce qui venait de se passer, mais nous devions garder la tête froide car notre survie en dépendait. J'entendis les enfants pleurer sous les bâches. Éloi me regarda et dut comprendre quelles pensées me terrassaient. Il s'approcha de moi et me dit que je n'étais pas responsable de ce qui était arrivé. Ça faisait partie du risque de l'évasion.

La route devait être mauvaise car le camion avançait très lentement. Éloi me dit que la neige tombait à plein ciel lorsqu'il était en train de quitter le sous-sol du hangar n° 7. Était-ce bon pour nous? Je ne savais pas.

Le camion devait rouler depuis au moins une demi-heure lorsqu'il s'arrêta. Tout était silencieux. La neige devait également assourdir les bruits de l'extérieur. Je vis la lampe d'Éloi s'allumer et il me fit signe d'aller le rejoindre près de la porte arrière. Agnès était là aussi.

— Qu'est-ce qui se passe? murmurai-je.

— Ça n'augure rien de bon. Tu as ton arme?

— Oui. Qu'est-ce qu'on fait?

— Je ne sais pas, mais s'ils montent dans le camion, nous sommes faits comme des rats... Il va falloir être prêts à leur sauter dessus s'ils ouvrent la porte.

— OK, répondis-je, un nœud dans la gorge.

— Et nous, qu'est-ce qu'on fait? On reste cachés sous les bâches? demanda Agnès qui était venue nous rejoindre.

— Accroupissez-vous, mais pas sous les bâches. Il faut que vous soyez prêts à sortir en quelques secondes si c'est nécessaire. Compris?

Je me rendis auprès des autres et leur demandai de se tenir prêts à courir. La pauvre Anna remit Miljenka dans son porte-bébé ventral. Zosia, Anna, Beatrix et Fabian me regardaient sans un mot lorsque nous entendîmes le bruit d'une portière qu'on ferme, puis une autre quelques secondes plus tard. Je fis signe à tout le monde de se préparer puis je me rendis auprès d'Agnès et Éloi. Nous étions là à attendre quelque chose qui allait changer notre vie à tout jamais. Le silence orchestrait tout. Éloi était juste à côté de la

144

porte, la tige de fer dans les mains. Agnès le regardait, aussi concentrée que lorsqu'elle exécutait son numéro d'équilibriste. Nous étions des artistes de cirque et la vie nous avait jetés dans un abîme sans nom. Nous devions lutter pour notre vie, mais cette fois-ci sans filet, sans courroie, sans harnais. Je tenais mon revolver avec la maladresse du débutant. Tout avait l'air irréel. C'est alors que je crus entendre le bruit d'une clé ou plutôt d'une chaîne. Mais je rêvais peut-être. Lorsque nous entendîmes la porte du camion s'ouvrir, je sus que tout était bien réel. Tout se passa dans un éclair. Je vis une ombre auréolée de neige et de poudrerie. Puis une arme. Éloi ouvrit violemment la porte. L'ombre disparut. Il sauta du camion et je le suivis. C'est là que je vis un militaire qui rampait dans la neige vers sa mitraillette. Éloi se jeta sur lui, arme au poing, je regardai de chaque côté du camion pour voir où était l'autre. Je m'approchai en douce de l'avant du véhicule et jetai un œil sur la porte entrouverte du côté passager. L'intérieur de l'habitacle était vide. J'entendis alors un cri suivi d'un coup de feu. Je courus vers l'arrière du camion et vis Éloi étendu par terre près de l'autre militaire qui ne bougeait plus. En me retournant, j'aperçus Kasternak (toujours amoché par l'alcool qu'il avait ingurgité mais partiellement dégrisé) qui me visait, accroupi sur le toit du camion. J'eus seulement le temps de m'esquiver et de monter à bord. C'est alors que je vis avec effroi que le militaire près d'Éloi remuait. Mon cerveau avait à peine noté cela que je vis une forme surgir sur ma gauche. C'était Kasternak. Je n'eus pas le temps de réagir avant qu'il me tire par le bras de toutes ses forces et me fasse tomber en bas du camion. J'atterris lourdement sur le sol enneigé. Il s'approcha de moi et me visa avec son arme. Au même instant, je vis une ombre se jeter sur lui. C'était Agnès. Kasternak tomba et Agnès lui donna des coups de poing à la figure, mais il réussit à la renverser. Pendant ce temps, je cherchais mon arme, mais ne la trouvai pas. Je vis alors la tige de fer qu'Éloi avait dû échapper en sautant du camion. Je me ruai sur Kasternak et lui en donnai un violent coup sur la tête. Il tressauta puis s'immobilisa. J'entendis une rafale de mitraillette provenant de je ne sais où, puis un autre coup de feu qui provenait du camion. Puis le silence. Agnès se releva en repoussant Kasternak qui était couché sur elle, inerte. Elle me regarda, totalement ahurie. Je vis alors Anna assise sur une caisse de bois derrière le camion, le revolver à la main. Elle avait l'air complètement figée. Dans ses yeux, je vis de la douleur, de la peur. Quelque chose s'était passé et Anna n'allait pas bien du tout. Je montai dans le camion et l'aidai à descendre. Elle était molle comme un chiffon et s'effondra presque sur moi.

— Tu nous a sauvé la vie, Anna..., est-ce que tu t'en rends compte?

— Pas vraiment... j'ai juste visé et tiré, c'est tout, je ne savais même pas ce que je faisais.

C'est alors que je vis du sang qui coulait sur sa main, celle qui retenait une sorte de châle. Elle me regarda droit dans les yeux en essayant d'éloigner ma main qui cherchait son ventre. Je vis alors une plaie au milieu de sa poitrine. Elle saignait abondamment. Entre-temps, les autres étaient sortis de leur cachette. Agnès était accroupie près d'Éloi et lui tenait la main. Il était immobile. Agnès s'approcha de nous.

— Il est mort… Qu'est-ce que nous allons faire de lui ? dit-elle en essuyant ses larmes.

Je ne répondis pas tout de suite, car mon cerveau avait de la difficulté à tout intégrer et je devais lutter pour ne pas paniquer et m'effondrer en priant un dieu quelconque de me faire sortir de ce cauchemar. C'était le chaos autour de moi. Je sentais qu'une folie insidieuse s'emparait de mon esprit et j'aurais eu envie de hurler mon désarroi. D'un côté, il y avait Anna grièvement blessée, d'un autre Éloi gisait mort dans la neige et mes compagnons, qui luttaient contre leur propre peur et comptaient sur moi. J'étais paralysé et je dus prendre sur moi pour ne pas m'écrouler comme une marionnette désarticulée. Je parvins enfin à me ressaisir. Je regardai Agnès qui pleurait et m'approchai d'elle.

— Nous n'aurons pas le choix de le laisser ici et de fuir avant qu'il y ait un plein régiment qui débarque à notre recherche, dis-je la gorge serrée. Anna a été blessée et nous devons trouver un endroit pour qu'elle puisse se reposer et qu'on évalue notre situation.

— On peut au moins le mettre sur le côté de la route et l'ensevelir sous la neige, répondit Agnès.

— Oui, mais tout de suite, et rapidement.

— On pourrait aussi le mettre dans une bâche, pour qu'il ne soit pas à découvert. Non ?

— On n'a pas le temps pour ça, Agnès… c'est notre vie ou notre mort… alors bouge-toi et va chercher les choses que tu veux apporter ! Les autres, préparez vos sacs et laissez tout ce qui pourrait nous encombrer et nous retarder, ajoutai-je en serrant Anna.

— On va s'en sortir… Viens, on va t'emmitoufler avec tout ce qu'on trouve, à commencer par ça, dis-je

147

en ôtant le manteau de Kasternak qui s'avéra lourd et chaud.

— Je vais vous retarder, Albert...

— Bien sûr, je vais te laisser ici et partir sans toi. Allez, ne dis pas de bêtises, on va t'aider à marcher à tour de rôle.

En quelques minutes, nous étions prêts. Les enfants étaient étrangement calmes, sûrement grâce à la présence de Zosia qui conservait son sang froid dans presque n'importe quelle situation. Nous enterrâmes Éloi sous une bonne épaisseur de neige. Personne ne pleura car nous étions tous engourdis par ce qui venait de se passer. Je ne sais pas ce que les autres pensèrent à ce moment-là, mais je savais que ça serait très dur de foncer dans la nuit avec cette neige et ce vent. Mais comme me le fit remarquer Agnès, toutes les traces seraient effacées en peu de temps. Il fallait compter là-dessus et sur la chance pour s'en sortir vivants.

Notre fuite fut éprouvante et épuisante. Anna était très faible et nous dûmes nous relayer pour la soutenir et l'aider à marcher. Je crois même qu'elle perdit conscience à quelques reprises. Mais au moins elle était vivante, c'était tout ce qui comptait. Il fallait qu'elle s'en sorte, et mes douleurs n'existaient plus ni celles des autres. Je ne pensais qu'à elle et chaque pas que je faisais lui était consacré. Je me souviens encore de mon visage ruisselant de larmes et de la profonde noirceur qui envahit mon âme. Dieu n'était plus là. Il avait depuis longtemps quitté ces lieux. Il nous avait abandonnés.

Parfois je regardais derrière moi pour voir si tout le monde suivait. C'était le cas. Zosia tenait Miljenka emmaillotée contre elle dans son manteau et les enfants n'avaient pas l'air de trouver cela si difficile, du moins pour l'instant. Après plus de quarante minutes de marche effrénée, nous nous réfugiâmes dans un boisé surgi de nulle part au milieu des champs et des collines basses. Un boisé touffu. Nous y pénétrâmes en trébuchant sur une multitude de monticules couverts de neige dont certains cachaient des trous et des crevasses. C'est d'ailleurs dans un genre de petite grotte que nous nous mîmes à l'abri. Nous installâmes Anna sur des branches de sapin et des couvertures et je profitai de sa somnolence pour vérifier l'état de sa blessure. Ça n'était pas beau à voir. Agnès vint près de moi. Je lui montrai la tache sombre qui maculait la poitrine d'Anna. Étant donné que nous n'avions aucune trousse de premiers soins, je ne pouvais lui donner d'analgésiques pour calmer sa douleur. Je lui fis une sorte de pansement avec du tissu trouvé dans le sac de Zosia et la regardai dormir. J'avais peur. Je ne voulais pas la perdre, mais je devais me montrer fort pour éviter que les autres paniquent. Personne ne fit de commentaires.

— Qu'est-ce que nous allons faire maintenant? demanda Zosia en nous regardant à tour de rôle.

— Je ne sais pas… Demain matin à la première heure, nous allons reconnaître le terrain et voir si on peut sortir d'ici sans se faire descendre comme des lapins, répondis-je en mettant des balles dans le revolver.

— Et pour Anna?

— Personne ne va nous aider de ce côté-ci de la frontière… Alors, on n'a pas le choix de mettre le cap sur la frontière esporienne sud. Je ne sais pas comment nous allons faire, mais c'est la seule option que nous avons.

— Et si l'un de nous partait à la chasse aux secours ? Une personne va beaucoup plus vite que plusieurs.

— Trop risqué. Si tu te fais prendre, nous n'aurons aucun moyen de le savoir et nous ne pourrons pas attendre ici très longtemps avant de mourir de faim.

On entendit alors les pleurs de Miljenka. Zosia fouilla dans un sac et en sortit une bouteille de lait. Je lui demandai combien de temps on pourrait durer avec les réserves de lait. Pas plus de deux jours, me répondit-elle. Pour la première fois les pleurs de Miljenka me firent mal. Atrocement mal. Zosia prit Miljenka dans ses bras et lui donna le biberon. Elle se calma et but goulûment. Beatrix et Fabian sombrèrent dans un sommeil profond, comme si rien d'extraordinaire ne s'était passé. Miljenka s'endormit en buvant. Agnès l'enveloppa dans une couverture et se coucha près d'elle. Je voulais veiller sur elle et sur tous les autres mais la fatigue m'emporta. Le sifflement du vent devint une berceuse.

Seul

J'eus du mal à m'extirper du sommeil. Pendant quelques secondes, je crus être ailleurs, dans notre petite roulotte du Cirque des montagnes Bleues, couché près d'Anna qui dormait paisiblement. Mais je n'étais pas là. Nous n'étions pas là, mais Anna dormait quand même. C'était le matin et une faible lumière pénétrait dans la grotte. Il faisait froid et une fine pellicule de neige avait recouvert nos vêtements et nos visages. Tout le monde dormait, sauf Agnès qui avait les yeux grands ouverts. Elle me sourit ou plutôt ébaucha un sourire. Je tendis un bras vers Anna et la secouai doucement pour la réveiller. Sans succès. Je m'approchai d'elle et caressai son visage. Ses yeux, ses joues et sa bouche étaient perlés de flocons de neige, ce qui lui donnait l'allure d'une fée des glaces. C'est à ce moment que je concentrai mon attention sur sa respiration. Il n'y en avait pas. Je mis un doigt sur sa gorge. Point de mouvement. Aucune trace de la subtile pulsation de la vie. Rien. Je la secouai plus fort et lui donnai même quelques tapes sur les joues. Pas de réaction. C'est mon cœur qui bondit à sa place. Une forte secousse ébranla mon corps. Agnès s'approcha d'Anna. Elle mit l'index sur son poignet et attendit quelques secondes qui me parurent une éternité. Puis elle laissa retomber le bras d'Anna et pleura. Ce que j'avais craint me fit tellement mal que j'aurais voulu mourir. Ai-je crié ? Ai-je hurlé ? Oui. Anna était morte pendant que je dormais, aussi paisiblement que si elle s'était endormie au son d'une berceuse. J'aurais pu avoir la chance de voir son regard une dernière fois, de lui dire je t'aime, de sentir la chaleur de ses lèvres et la pression de sa main sur la mienne. Mais je dormais. Jamais plus je ne verrais son regard et le papillotement de ses paupières.

Je m'effondrai sur elle en sanglotant. J'aurais voulu mourir... là... à cet instant. Mon réflexe fut de prendre l'arme pour me faire sauter la cervelle, mais un autre battement de cœur me fit renoncer. Agnès se déplaça rapidement, prit Miljenka dans ses bras et la déposa presque de force dans les miens. Miljenka ouvrit alors les yeux et me regarda. Je crus défaillir en voyant ses petits yeux tout ronds. Je n'avais pas le choix. À ce moment-là, Miljenka porta tous les noms. Elle était pureté, liberté, innocence et amour. Miljenka m'avait sauvé la vie. Je lui dois la lumière et la tendresse, la douceur et la force. Elle est devenue mon torrent, ma tempête... je lui dois tout, y compris un tourment puissant... une plaie béante qui peine à se cicatriser. Cette blessure qui me hante encore parfois la nuit. Anna.

Ivresse

Lorsque Albert prononça le nom d'Anna, je sus qu'il avait atteint la limite de ses forces, du moins pour cette journée. L'émotion était encore vive et bien qu'il ait dû raconter cette histoire quelques fois déjà, il ne pouvait contourner cette blessure comme il le voulait.

— C'est fou mais j'ai parfois l'impression qu'elle m'attend dans un autre monde, comme si je savais qu'elle n'est pas tout à fait morte et qu'il existe un endroit où elle respire et vit, fit-il après quelques secondes de silence.

— Vous croyez qu'il y a quelque chose après la vie?

— Oui et non... je ne suis pas très ésotérique, mais je suis sûr que la fin de la vie physique n'est pas la fin de tout. Je sens parfois qu'Anna est avec moi.

— Lorsque vous prenez le temps de ne plus être seulement un corps malmené par le quotidien? Est-ce bien cela?

— Oui, mais c'est tellement difficile... presque infaisable. Nous sommes constamment stimulés par des images, des sons, des odeurs, sans compter les sentiments et les actions des autres. Je tente parfois de vivre détaché des choses et des personnes qui m'entourent, mais il y a toujours quelque chose ou quelqu'un qui me ramène sur terre, et je ne parle pas du présent, je parle du flux constant des pensées, c'est comme des interférences, des grésillements… une radio ou une télé qui ne s'éteint jamais. J'aimerais avoir un interrupteur pour faire cesser ce chahut.

— Je sais ce que vous voulez dire… j'ai cette volonté aussi de me retrouver seule, en paix, sans avoir à «négocier» avec des millions de choses…

— Oui, c'est ça… c'est à cet endroit que se trouve Anna… là où le temps ne compte plus, et que la douceur devient un baume pour l'existence.

Albert commanda un verre de scotch. Puis un autre. Je sentais qu'il avait besoin d'ivresse. Moi aussi, j'avais ce besoin, en plus de celui plus viscéral de compter pour quelqu'un, de me fondre dans un autre humain. De devenir presque invincible, tellement l'amour est grand et beau. Un amour inconditionnel, celui que nous essayons de reproduire depuis notre enfance. Je le cherche toujours.

Le départ

Quelques heures plus tard, nous étions prêts à partir. Nous laissâmes le corps d'Anna dans la grotte et marquâmes l'endroit en empilant des pierres près de l'entrée. Je ne pus me résigner à faire une croix avec des branches de bois et à la planter dans la neige. Je ne pouvais pas. En contrepartie, la neige n'arrêtait pas de tomber, comme si Dieu voulait recouvrir de blancheur les meurtrissures qu'il avait permises. Les autres s'éloignèrent et je contemplai pour une dernière fois l'endroit qui avait recueilli la vie d'Anna.

Nous optâmes pour une direction qui semblait être celle du sud de la Bordénie, et donc de la frontière esporienne. Mais n'ayant pas de boussole, nous n'étions pas sûrs. J'espérais seulement que nous ne nous enfoncerions pas davantage dans les terres montagneuses du Nord. Funeste choix. Nous marchâmes plusieurs heures, comme des bêtes, nous arrêtant au moindre son qui semblait étranger aux boisés et aux champs. Nous étions des fugitifs, traqués par la mort et la guerre. Nous n'avancions pas aussi vite que nous l'aurions espéré. La fatigue gagna les enfants puis les adultes. Il devait être assez tard dans l'après-midi lorsque nous aperçûmes une ferme isolée dans une sorte de dépression longeant une rivière. Nous entendîmes le son de l'eau libre puis des cloches. Nous vîmes au loin des vaches, des chèvres et des moutons qui martelaient le sol dur de leurs sabots. Du fourrage était épandu ici et là dans une sorte d'enclos. Nous décidâmes d'attendre que la nuit tombe avant de nous rapprocher. Nous mangeâmes un peu puis laissâmes les enfants dormir. Miljenka était un ange, aucun pleur, aucune crise. Elle était silencieuse comme si elle comprenait que notre vie dépendait de sa bienveillance. Lorsque le crépuscule masqua tout sur son passage, je partis en éclaireur pour voir s'il n'y avait pas un endroit pour nous abriter. Plusieurs petits bâtiments entouraient la ferme et la maison principale. Je découvris alors un cabanon qui était adossé à la pente d'une butte couverte de sapins. Par la porte ouverte, je vis à l'intérieur du fourrage et entendis des miaulements. Une chatte apparut alors et me regarda d'un air surpris. Elle alla directement à deux bols vides qui étaient près de l'entrée. Dans ce cabanon, il y avait également des chaudières remplies de pelures de légumes et d'autres restes de végétaux. La providence nous avait mis sur le chemin de cette ferme. Je sortis et vis une autre porte qui donnait sur un des côtés du cabanon. J'entrai et vis encore du fourrage et des casiers de bois. L'endroit était exigu et ne pouvait permettre qu'un déplacement en rampant. C'était parfait pour nous.

Lorsque la nuit tomba, nous marchâmes lentement vers le petit cabanon. À l'aide d'une lampe de poche, nous pûmes entrer à l'intérieur et nous installer dans le foin et les toiles de jute. Nous allions au moins être au chaud, ce qui était primordial étant donné que le froid devenait plus mordant. Nous entendîmes alors des pas qui se rapprochaient du cabanon. Quelqu'un ouvrit la porte et prononça ce qui semblait être le nom d'un animal. Puis nous entendîmes le bruit d'une chaudière en métal et quelques miaulements. Peu de temps après, la personne quitta le cabanon et le bruit de ses pas se perdit dans la nuit.

Quelques minutes plus tard, je sortis et allai voir s'il y avait des restes que nous pourrions inclure dans notre maigre diète. Je revins avec des pelures de légumes et des morceaux de choux ainsi que des bouts de gras et de viande que j'avais volés au chat. Il n'avait pas l'air très content de partager sa gamelle avec moi, mais il n'avait pas trop le choix !

Avec ces restes et la nourriture que nous avions apportée du camp de Znit, nous avons pu manger à notre faim. Mais ce qui m'inquiétait grandement, c'était le lait, et nous n'allions sûrement pas en trouver en plein champ ou en pleine forêt. Ce soir-là, nous avons discuté de notre stratégie… Il n'y en avait pas tellement ; il fallait sortir du pays sans se faire prendre. C'était aussi simple que ça. Le plus important était de garder notre sang-froid et de ne pas sombrer dans le désespoir. Les filles étaient fortes et Fabian (qui avait huit ans) était courageux et remarquablement mature pour son âge. Il ne parlait pas beaucoup, mais je sentais qu'il analysait les choses et qu'il comprenait plus que ce qu'il laissait paraître. En fait, tous les regards étaient posés sur moi. J'étais le maillon faible de cette troupe de fugitifs.

— Est-ce que tu penses rester ici longtemps ? me demanda Agnès après que les enfants furent endormis.

— Non, nous allons tenter de repartir demain. Je ne veux pas rester trop longtemps au même endroit, même si nous avons un toit ici et un peu de nourriture.

— Mais sais-tu où aller?

— Oui et non, répondis-je. Le soleil se lève à l'est et l'Espora se trouve au sud. Nous devons nous lever tôt et prendre la direction sud-est, mais je ne sais pas où nous allons aboutir. La frontière est sinueuse et j'espère seulement que nous n'allons pas être stoppés par les montagnes.

— Si c'est le cas, qu'est-ce qu'on fait? demanda Zosia.

— Je ne sais pas, nous verrons… pour l'instant nous n'en sommes pas là.

— Tu as raison, vaut mieux y aller au jour le jour… c'est peut-être mieux.

— Si j'avais les réponses, je serais heureux de les fournir, mais je suis autant dans le brouillard que vous… c'est déjà un miracle que je sois capable de penser… le cerveau dans un étau.

— Je sais, Albert, je sais. Mais nous sommes avec toi, ne l'oublie pas, nous sommes un, ajouta Agnès en me prenant les mains et en les serrant.

Elle me serra dans ses bras pendant que des sanglots spasmodiques secouaient mes entrailles. Quelques instants plus tard, je dormais à poings fermés.

Nous fûmes réveillés par les aboiements d'un chien qui était proche de notre cachette. Agnès et Zosia me regardèrent. Les enfants étaient encore endormis et je fis signe aux filles de ne pas les réveiller. Le chien approcha son museau des interstices du cabanon puis renifla assez bruyamment. Il disparut aussi vite qu'il était venu. J'attendis un peu puis sortis. Je me couchai dans la neige épaisse et regardai un peu partout pour voir s'il y avait quelqu'un qui nous avait repérés. J'entendis alors un grondement sourd puis je vis des camions militaires sur la route qui se suivaient lentement à la queue leu leu. J'en comptai pas moins de trente, puis lorsque le dernier véhicule disparut derrière une courbe, je sentis que quelqu'un m'observait. Lorsque je me retournai, je vis un enfant qui me regardait, aussi surpris de me voir ici que moi de le voir là. Il resta silencieux pendant quelques secondes puis prit ses jambes à son cou et disparut vers la maison. J'entrai en vitesse dans notre refuge et prévins tout le monde de se préparer à sortir. Je pris mon revolver et l'armai, puis j'attendis. Pourquoi ai-je attendu avant de déguerpir avec les autres? Sûrement la certitude que nous ne pouvions courir dans la neige avec un nourrisson et des enfants et espérer passer inaperçus. Cela aurait été de la folie. De longues minutes passèrent, puis nous entendîmes des bruits de pas sur la neige. Nous étions faits comme des rats. Je fis signe à Agnès de cacher Miljenka du mieux qu'elle pouvait. La porte s'ouvrit. Un homme était là. Il se pencha et je vis qu'il tenait une carabine.

— Vous êtes combien là-dedans? demanda-t-il d'une voix rude.

— Je... nous sommes trois adultes et deux enfants.

— Des armes?

— Non... pas d'armes.

— Et ça, c'est quoi ce que tu caches sous ton manteau?

— C'est pour nous protéger, pour protéger les enfants.

— Donne-moi ton arme!

J'entendis alors une voix féminine derrière lui. Je lui donnai mon revolver et vis le visage d'une femme dans le cadre de la porte à côté de celui de l'homme.

— Vous êtes esporiens? demanda-t-elle.

— Oui, enfin presque tous.

— Qu'avez-vous là sous ce tas de couvertures? demanda l'homme en pointant Agnès.

— C'est ma petite fille…

Agnès découvrit alors le visage de Miljenka qui dormait encore. Nous ne pouvions rien cacher, cette option n'existait pas. Il fallait jouer le tout pour le tout. La femme entra dans la cache et s'approcha de Miljenka.

— Quel âge a-t-elle?

— Quelques semaines…

— Vous n'en êtes pas sûr? demanda l'homme un peu surpris par ma réponse.

— Elle est née le 15 décembre, elle doit avoir deux mois.

— D'où venez-vous comme ça?

— De Znit… répondis-je sans donner plus de détails.

— Vous ne pouvez pas rester ici, ça grouille de militaires partout. C'est dangereux pour vous et pour nous.

— Franz, attends un peu… j'ai à te parler, fit la femme en lui faisant signe de la suivre.

Les deux sortirent de la cache. Nous les entendîmes discuter. J'étais nerveux car nous pouvions nous attendre à tout. Ils tenaient notre sort entre leurs mains.

— Attendez ici. Ma femme va revenir, dit l'homme en se penchant près de la porte. Quelques minutes plus tard, elle revint et nous donna un panier plein de nourriture. Il y avait même du lait et du pain. Un miracle sous nos yeux.

— Voilà, avec ça vous devriez en avoir assez pour un ou deux jours, dit la femme en cherchant Miljenka du regard.

— Comment peut-on se rendre en Espora à partir d'ici? demandai-je en distribuant la nourriture aux autres.

— Il y a deux façons, l'une longue et assez facile. L'autre courte et très difficile. Je vous conseille le plus court chemin, répondit-elle.

— Et c'est dans quelle direction?

— Vous allez suivre la rivière sur plusieurs kilomètres en coupant à travers champs et collines. Lorsque vous arriverez au pont de Nuaa, vous traverserez la rivière à pied en vous servant des rochers. Attendez la nuit pour la traverser parce qu'il y a plein de militaires dans le coin. Après le pont, vous aurez un ou deux kilomètres à marcher sur un sentier qui longe une route forestière puis ça sera la frontière. Mais je vous préviens, ça sera dur pour les plus petits, très dur.

— Bon, au moins nous le savons, ajoutai-je en la remerciant.

En sortant du cabanon avec les autres, l'homme me remit mon arme et me souhaita bonne chance. Lui, sa femme et le garçon nous regardèrent nous éloigner en direction de la rivière. Nous avions été touchés par la grâce et nous le savions, sinon jamais nous n'aurions pu regagner notre pays.

Nous avons marché longtemps, en nous arrêtant ici et là pour nous reposer ou pour nous cacher. La route fut longue et épuisante. La neige était épaisse et le terrain très accidenté. Parfois il fallait ramper en passant près d'une route ou d'une habitation. Parfois il fallait contourner des obstacles naturels, ce qui nous faisait perdre du temps et de l'énergie. Agnès, Zosia et les autres étaient assez endurants, mais il fallait s'arrêter souvent pour nourrir Miljenka ou la changer. Beatrix et Fabian étaient vraiment résistants, ils ne se plaignaient pour ainsi dire jamais et ne rechignaient pas devant la cadence soutenue que nous leur imposions. Mais tout ce beau monde devait manger pour avoir la force d'avancer, et nos réserves de nourriture s'épuisaient à vue d'œil. Nous étions sur le point d'avoir recours à nos ultimes réserves quand le pont de Nuaa apparut et avec lui la rivière. Il faisait déjà assez sombre puisque nous étions en fin d'après-midi, mais nous aperçûmes des traces de combat un peu partout autour du pont qui avait été détruit. Plusieurs véhicules militaires carbonisés jonchaient la route. Quelques maisons et bâtiments près du pont avaient été partiellement détruits, sauf une qui arborait encore ses fenêtres et semblait avoir été épargnée. Comme nous étions épuisés et transis de froid, nous décidâmes d'attendre le matin pour passer la rivière. Je savais que nous étions en territoire ennemi, mais je ne pouvais forcer les enfants à traverser une rivière dont l'eau devait être glaciale en pleine noirceur. Après discussion, il fut décidé que Zosia et les enfants allaient rester cachés et que Agnès et moi allions explorer la maison. Nous nous rapprochâmes et je décelai immédiatement une odeur de fumée. Nous ouvrîmes la porte et aperçûmes une faible lueur dans la maison. Je sortis mon revolver et Agnès sa barre de fer (elle ne s'en séparait plus depuis l'évasion de Znit) puis nous marchâmes sur la pointe des pieds dans un vaste corridor. Celui-ci débouchait sur un salon éclairé par un grand foyer. Il y avait du feu... et deux hommes, des militaires couchés sur des sofas éventrés. Ils ne nous avaient pas entendus et l'un d'eux avait sur lui un émetteur radio et essayait d'avoir une communication. Quelques secondes plus tard, nous pûmes entendre assez clairement la conversation.

— Putain, qu'est-ce que vous foutez?... ça fait deux jours qu'on est ici... ouais, ouais, je sais que la route est détruite mais j'en ai rien à foutre, grouillez-vous... il y a Gus qui est sur le point de perdre son œil... et moi j'ai la jambe complètement infectée, alors il n'est pas question qu'on poireaute encore deux jours ici... vous m'entendez... prévenez le quartier général pour qu'ils nous envoient un hélico... OK? Putain... bande de crétins... merde!

Le militaire jura et donna un coup de poing dans la radio. L'autre ne broncha pas, ses yeux étaient fermés, il semblait endormi. Nous vîmes que les deux hommes portaient des bandages imbibés de sang et que l'un d'eux avait un pansement rouge vif autour de la tête et sur l'œil. Je fis signe à Agnès de me suivre. Nous entrâmes dans le salon. Le militaire qui ne dormait pas esquissa un mouvement en direction de l'arme qui était posée à ses pieds. Agnès fonça sur lui à la vitesse de l'éclair et donna un coup de pied sur le fusil.

— Mais putain, vous êtes qui vous? demanda le militaire qui venait de parler à la radio.

— Pas vos affaires! répondis-je.

— Ah ouais, et si je décidais que ce sont mes affaires, je pourrais contacter les autres et vous faire mitrailler sur place, ça vous dit?

— Un, tu n'as pas l'air en état de faire grand-chose, et deux, cette radio appartient au passé, fis-je en prenant l'appareil et en arrachant tous les fils.

— T'es con, quoi… merde ! c'était notre seul lien avec l'extérieur…

— Plus maintenant, nous sommes ton seul lien avec l'extérieur, rétorqua Agnès.

Le militaire se tut. Il regarda Agnès qui s'était rapprochée de lui, puis reporta son regard sur moi.

— Et… mais… mais putain je vous reconnais vous… vous êtes cette bande de bouffons du cirque de Znit… Qu'est-ce que vous foutez ici… vous vous êtes échappés ?

— Ça ne te regarde pas… Agnès, fouille-le s'il te plaît, demandai-je en le tenant en joue.

— Oui c'est ça, viens me fouiller mon bébé… j'ai ma jambe qui est esquintée mais pas le reste…

— Si t'arrête pas de dire des conneries, je te casse l'autre avec ça… compris ? rétorqua Agnès en faisant tournoyer sa barre de fer au-dessus d'elle.

— OK… OK, mais tu pourrais peut-être mettre tes petits costumes de fantaisie avec des froufrous partout, je t'ai vue danser sur la piste… un vrai canon…

Agnès s'approcha du militaire et le fouilla. Elle découvrit un poignard et un petit pistolet. Elle me donna le poignard et garda le pistolet. Lorsque je m'approchai du militaire qui dormait, j'eus un choc. Malgré les bandages et la faible lumière, je crus reconnaître l'homme barbu qui avait agressé Anna au camp de Znit. Je le fouillai quand même et il ouvrit les yeux. Je fis un effort immense pour ne pas sursauter. Ce regard, ce visage. C'était lui, il n'y avait pas de doute. Je ressentis à ce moment-là un profond désir de le tuer. De le voir souffrir, de lui faire la peau. Mais je me retins au prix d'un énorme effort. Je fis donc comme si je voyais cet homme pour la première fois et sortis de la maison pour faire entrer les autres qui attendaient. Quelques minutes plus tard, nous étions installés dans l'une des pièces qui jouxtaient le grand salon, au même endroit que nos ennemis. Je savais qu'Agnès et les autres craignaient de rester ici, mais nous n'avions pas à avoir peur des militaires car ils étaient passablement handicapés. Et de toute façon, nous avions les armes et comptions bien nous en servir si c'était nécessaire. Lorsque nous entendîmes la radio crachoter des interférences, je pris la barre de fer et la détruisis complètement. De cette manière, nous n'aurions pas à nous inquiéter que l'un des Bordéniens contacte en douce ses petits copains pour qu'ils débarquent ici avant l'aube.

Même si c'était étrange de partager la même maison que nos ennemis jurés et de les voir nous regarder comme si nous étions des vers de terre, cela faisait du bien d'avoir un peu de chaleur. Nous étions à l'abri et, de toute façon, il était trop tard pour traverser la rivière, surtout qu'avec Miljenka, le moindre faux pas aurait été doublement fatal en pleine nuit. Avant de nous coucher, nous organisâmes un tour de garde. Il était crucial de toujours avoir un œil sur les soldats, même s'ils avaient l'air inoffensif. Je fus le dernier à monter la garde et remplaçai Agnès qui s'emmitoufla dans une couverture pour dormir à son tour. Tout se passa relativement bien. Le feu était bien nourri et les deux militaires dormaient à poings fermés. C'est alors que je découvris quelque chose qui changea toute la donne, du moins pour moi. Près du militaire qui ressemblait à l'agresseur d'Anna, je vis un uniforme… et son nom. Fapp. C'était lui. Ce n'était pas Mapp mais Fapp. Tout concordait, il n'y avait aucun doute que c'était lui. J'avais dû mal voir ce soir-là. Vu les circonstances, c'était bien possible, surtout qu'il faisait noir dans le camion. Je ne sus quoi faire sur le coup car je n'avais envie que d'une chose : l'anéantir. Ce monstre. Au prix d'un effort considérable, je réussis à faire abstraction de tout cela. Puis Fapp (puisque c'était son nom) ouvrit les yeux ou plutôt son œil et se leva avec difficulté. Je lui demandai où il allait ainsi et il me répondit qu'il devait aller aux toilettes. Je pris mon revolver, l'armai puis lui fit signe d'avancer vers le fond de la maison, là où il y avait de minuscules toilettes qui fonctionnaient. Je le laissai s'installer, puis il me demanda de fermer la porte. Il n'y avait qu'une toute petite fenêtre perchée tout en haut du mur et Fapp n'avait pas d'armes sur lui puisque nous l'avions déjà fouillé. Je lui permis de fermer à moitié. Ce qu'il fit. Tout en gardant un œil sur la porte, mes pensées s'embrouillaient. J'avais hâte de traverser la frontière. Hâte de ne plus fuir. Mais pour l'instant, nous devions ne rien tenir pour acquis. Rien. À ce moment-là, je pensai à Anna. Tous ces souvenirs que nous avions amassés. Toutes ces pensées et ces idées que nous avions partagées. Le soleil, la lune, les étoiles, la neige… les feuilles, tout, tout pouvait contenir une fugace image d'Anna. Les milliers de choses, d'objets, de lieux que nous avions touchés, vus ou saisis. Un simple mouchoir brodé allait détenir un pouvoir de vie ou de mort sur mes pensées. Je ne pourrais plus jamais voir la vie de la même façon. Il y aurait avant et après.

C'est tout. Une douleur fulgurante traversa mon corps, mon âme. J'eus peur de mourir. Une peur incontrôlable de mourir seul. Dans le doute de savoir que j'aurais pu faire quelque chose pour sauver Anna… La porte s'ouvrit, un courant d'air peut-être, je ne m'en souviens pas. Mais ce que je sais par contre, c'est que le militaire qui était assis sur la cuvette et qui me regarda changea de forme et prit celle du monstre qui avait volé la vie d'Anna. Je brandis le revolver, visai sa tête et tirai. Pas une fois, pas deux mais trois fois. L'homme ne tomba pas. Il resta tout simplement appuyé contre le couvercle de la cuvette. Je sortis de ma transe et réalisai ce que je venais de faire. L'avais-je vraiment voulu ? Je pense que oui. Je ne l'avais pas fait pour Anna ni pour personne d'autre. Je l'avais fait pour moi. Un geste dénué de toute humanité. J'avais tout simplement fauché la vie de l'homme qui avait agressé Anna. C'est tout. Je sentais que j'avais tué cet homme pour me venger de Dieu, pour lui montrer que moi aussi je pouvais faire le mal. Que je n'avais pas besoin de Lui pour me repérer dans cet univers d'atrocités, car je pouvais être abject moi aussi.

Agnès surgit alors à mes côtés et me demanda ce qui s'était passé. J'étais désolé, j'avais cru qu'il sortait une arme, mais finalement il ne faisait que sortir un mouchoir de la poche de son pantalon. Sans me questionner davantage, Agnès m'entraîna vers le salon en me regardant avec des yeux inquiets. Par chance, l'autre militaire était complètement assommé par la morphine et nous avons pu préparer nos affaires et quitter la maison sans qu'il se réveille. Personne ne demanda ce qui s'était passé et pourquoi nous fuyions aussi vite. Il n'y avait rien à dire, ou plutôt je n'avais rien à dire, j'étais encore sous le choc. Nous nous sommes donc dirigés vers la rivière. La traversée fut moins pénible que nous l'avions imaginé. Les rochers étaient certes couverts de neige et très glissants mais la distance qui séparait les deux rives n'était pas très grande à cet endroit et en moins de cinq minutes, tout le monde avait traversé. Nous avons marché pendant quelques minutes. La frontière esporienne apparut en haut d'une montée. La pancarte était partiellement détruite et la route était jonchée de véhicules et de matériel militaire détruits et carbonisés. Le combat avait fait rage ici comme de l'autre côté de la frontière. Nous étions tous soulagés d'être de retour en Espora, mais le spectacle qui s'offrait à nous ne présageait rien de bon. C'était partout la désolation. La guerre avait laissé ses traces de part et d'autre.

En mi-journée, nous avions déjà progressé de plusieurs kilomètres. Mais nous dûmes nous arrêter pour manger et panser nos plaies. Les deux enfants avaient les doigts et les orteils gelés, il fallait les réchauffer pour qu'ils puissent continuer. Ce qui n'était pas une bonne nouvelle. Nous étions tous très fatigués, et je voulais continuer pour atteindre au moins un village ou une ville où nous pourrions nous réchauffer et nous sustenter. Mais la région était sauvage et il n'y avait nulle part où s'abriter. Nous avons donc dû reprendre la route après avoir mis plusieurs épaisseurs de tissus autour des bas et des gants des enfants pour éviter que les engelures s'aggravent. Quant à Miljenka, elle était bien au chaud dans le sac ventral que portait Agnès, mais cette dernière montrait des signes de fatigue et je m'inquiétais pour la capacité de tous de continuer à marcher. Nous n'avions cependant pas le choix.

Nous cheminâmes dans ces conditions pendant presque deux jours en nous protégeant des éléments dans des abris naturels de fortune. Le froid mordant n'arrangeait pas les choses et aggrava les engelures des enfants. Lorsque nous nous réveillâmes au matin, deux jours après notre traversée de la frontière, nous entendîmes un bruit de moteur. Nous courûmes vers la route et vîmes un convoi de véhicules militaires. L'un des véhicules s'arrêta et nous pûmes monter à bord d'un camion qui n'avait pas de toile protectrice. Malgré le fait que nous étions à l'air libre et que le vent glacial était insoutenable, nous étions si contents d'avoir retrouvé les nôtres que nous n'y pensions même pas. Tous emmitouflés et collés les uns contre les autres, nous vîmes défiler plusieurs kilomètres de route campagnarde qui semblait être tout aussi désertique que la forêt que nous venions de quitter.

Un peu plus tard, le convoi s'arrêta au camp de la Croix-Rouge de Bisben. C'est là que notre voyage prit fin. Nous apprîmes un peu plus tard que le convoi qui nous avait permis de venir jusque-là transportait des prisonniers bordéniens en route vers Legarty, la base militaire la plus importante d'Espora. De prisonniers nous étions devenus des êtres libres. Mais cela nous prit beaucoup de temps avant d'intégrer cet état de fait. De sentir que nous n'étions plus de la viande avariée.

Le camp de Bisben fut une délivrance. Nous avons pu guérir nos blessures, nous reposer et manger à notre faim. Il était temps car Miljenka avait souffert des maigres rations de lait que nous avions pu lui donner. Elle avait une vilaine grippe et nous avions eu de la chance de ne pas la perdre. Malheureusement, à cause des engelures qui avaient perduré, Fabian perdit un doigt et Beatrix un ongle d'orteil. Ces enfants avaient été tellement courageux que je me disais qu'ils allaient sans doute devenir des êtres humains remarquables, pas au sens strictement professionnel mais au sens «humain». De notre côté, l'épuisement mental et physique nous avait transformés. Ainsi, plusieurs maux apparurent lorsque les besoins primaires furent comblés. Agnès était très faible et semblait ne pas pouvoir remonter à la surface. Zosia était relativement en forme mais ne pouvait cacher sa morosité et son pessimisme. Quant à moi, une profonde mélancolie s'empara de tout mon être. Il était clair que le relâchement des tensions des derniers mois avait provoqué l'apparition d'une panoplie de blessures physiques et psychologiques. Nous n'étions pas les seuls. Des centaines de réfugiés et de blessés provenant d'un peu partout en Espora et d'autres pays limitrophes partageaient notre quotidien au camp de Bisben. Il y avait beaucoup d'enfants, des blessés, des déportés, des orphelins, des mourants. Nous avons ainsi pu faire connaissance avec d'autres destins, d'autres histoires, d'autres horreurs, mais aussi avec plusieurs miracles, plusieurs histoires de courage, d'abnégation, d'amour… Mais il n'y avait rien qui pouvait adoucir l'immense douleur que je ressentais le soir quand, les lumières éteintes, j'étais seul dans mon lit et devais faire face à l'absence d'Anna.

Parfois, j'avais du mal à me rappeler que j'étais un artiste de cirque, un trapéziste. Tant de pensées se bousculaient dans ma tête que je n'avais presque pas d'espace pour mon art. Tout l'espace était occupé par Anna, par Miljenka et par ce geste que j'avais fait près de la frontière, qui n'arrêtait pas de me hanter.

La vérité

Albert mit fin à son récit. J'étais soulagée et à la fois anxieuse de ce que je m'apprêtais à lui dire. Albert avait peut-être senti un subtil changement dans mon regard, mes gestes, mon attitude. Sinon, comment expliquer le regard inquisiteur qu'il me lança.

— Ça va?... vous m'avez l'air subitement très fatiguée. Je me trompe?

— Non, je ne suis pas fatiguée, mais il y a quelque chose qui me tracasse...

— Ah oui, quoi?

— Êtes-vous sûr que c'était l'agresseur d'Anna que vous avez tué?

— Je... oui, bien sûr que oui.

— Vous n'avez jamais eu de doute?

Albert resta plusieurs secondes sans répondre. Je le sentis soudainement nerveux, vulnérable. Il me jeta un regard pénétrant, comme s'il avait voulu voir à travers moi, m'ausculter pour savoir ce que je voulais vraiment connaître.

— Oui, j'ai eu des doutes, mais ils ont passé, comme tout le reste. Mais pourquoi me demandez-vous cela?

— Vous ai-je déjà dit que j'avais été adoptée?

— Non, je ne le savais pas...

— Oui, et voilà quelques années j'ai fait une recherche pour retrouver des parcelles de mon histoire. En fait, je ne suis pas née au Québec, mais en Bordénie.

— Ah oui? dit-il surpris. Vous êtes née en Bordénie. À quelle époque?

— Quelques années avant la guerre, mon père était bordénien et ma mère québécoise.

— Ah... et... et qui vous a adoptée?

— La sœur de ma mère et son mari. C'est pour cette raison que j'ai changé mon nom et mon prénom.

— Et... quel était votre nom?

— À ma naissance? Ksenia... Ksenia Landsig Fapp.

Je crus qu'Albert allait défaillir en entendant ce nom. Son visage changea complètement. Son regard surtout. Un mélange de peur, d'incrédulité et de stupeur. Il me considéra avec des yeux remplis de quelque chose qui ressemblait à de la frayeur.

— Où voulez-vous en venir? Pourquoi me racontez-vous cela maintenant?

— Parce que c'est mon père que vous avez tué, et qu'il n'était pas celui que vous pensiez. Mon père biologique s'appelle Gus Landsig Fapp. Ma mère est Mathilde Blondin, la sœur d'Éloi...

Je savais d'instinct que ce que je venais de dire allait marquer à jamais notre relation en ouvrant une véritable boîte de Pandore. Mais je n'avais pas le choix, car c'était la vérité. Albert resta bouche bée. Je vis plusieurs sentiments défiler dans ses yeux: la surprise, la peur, l'incertitude et la colère. Mais un autre sentiment prit toute la place, celui d'avoir été trahi.

— C'est pour ça que vous avez voulu que je vous raconte mon histoire, pour trouver un coupable? C'est pour ça que vous m'avez utilisé?

— Non, pas seulement pour ça... J'ai été attirée par cette histoire, parce qu'elle me touchait et qu'elle pouvait toucher les autres. Mais je cherchais aussi la vérité... et vous pouviez me l'offrir.

— Vous m'avez trahi, Mélaine... tout ce que vous vouliez finalement était me confondre... m'acculer au pied du mur... Je vous ai fait confiance et vous m'avez utilisé, comme seule une journaliste peut le faire...

— Non, comme seule une orpheline peut le faire, comme seule une enfant adoptée qui n'a aucun souvenir de son père ni de sa mère peut le faire. Je voulais connaître la vérité sur une partie de ma vie... et ça n'a strictement rien à voir avec mon métier. Je...

— Vous n'aviez aucun droit de faire cela pour parvenir à vos fins. Vous auriez pu agir autrement, ajouta-t-il en me coupant la parole.

— Je n'ai rien fait d'autre que vous écouter, Albert, et espérer que vous ne seriez pas celui qui l'avait fait. C'est tout...

— Pourquoi m'avez-vous caché tout ça?... pourquoi?

— Parce que je ne voulais pas influencer votre récit.

— Vous croyez que je suis un menteur, que j'ai tout inventé, que j'ai escamoté toutes les choses qui auraient pu ternir mon image?

— Non, bien sûr que non...

Albert m'interrompit en se levant. Il prit ses affaires et s'approcha de moi. Je me levai à mon tour.

— S'il vous plaît, Albert, ne le prenez pas comme ça. Vous ne savez rien de mon histoire...

— Non, et je ne veux pas la connaître... Au revoir Mélaine... nous nous verrons peut-être à la première... mais pour ma part, c'est terminé, et ne vous avisez pas de publier mon récit.

— Albert, non, je vous en prie, ne partez pas !

Albert me quitta en furie. Il sortit du café sans se retourner et claqua la porte derrière lui. Je me suis sentie comme quelqu'un de profondément méchant, mais pas comme une menteuse, car je savais avant de rencontrer Albert que l'un des membres du Cirque des montagnes Bleues du camp de Znit avait tué mon père, dans le fin fond de la Bordénie, à quelques minutes de marche de la frontière esporienne.

Brisure

Je n'eus pas de nouvelles d'Albert pendant plusieurs jours. Je me sentais terriblement mal d'avoir provoqué cette brisure, mais je n'avais pas le choix. Jamais je n'aurais pu laisser le récit d'Albert se poursuivre sans parler de mon père et de tout le reste. Albert avait raison sur au moins un point : je savais que l'un des membres du Cirque des montagnes Bleues avait tué mon père, mais je ne savais pas qui. J'avais donc une longueur d'avance sur lui. Mais qu'en était-il de sa propre version des faits ? Étais-je sûre que ce qu'il m'avait raconté était la pure vérité ? Non. Je connaissais mon histoire, mais pas la sienne, du moins pas dans son intégralité. C'était ce déficit d'informations qui constituait la rupture.

Il y a quelques années, j'avais décidé de fouiller le passé à la recherche de mes origines. Cela n'avait pas été facile car mon destin était étroitement lié à celui de la guerre ethnique entre la Bordénie et l'Espora. Je savais que Mathilde, ma mère, était décédée en janvier 1981, lors de violents bombardements aériens sur Thornway, une grande ville située dans le sud de la Bordénie. À cette époque, j'avais été recueillie par mes grands-parents bordéniens. Mon père était venu à l'enterrement, mais avait dû retourner au front. Pendant ce temps, les combats s'étaient poursuivis un peu partout en Bordénie. Mon grand-père était mort d'un infarctus au printemps

1981 et ma grand-mère très âgée avait dû quitter sa maison pour aller dans un centre pour personnes âgées. Il fut donc convenu que mon père viendrait me chercher pour m'emmener dans une maison de pension près de Thornway. Mais mon père ne vint jamais. Comme la seule famille véritable que j'avais était celle de Mathilde, on décida de me placer dans une maison pour orphelins en attendant de pouvoir me faire quitter la Bordénie pour le Québec. Cela prit plus de temps que prévu, en raison de la guerre bien sûr, et ce n'est qu'à la fin de l'été 1981 que je pus quitter la Bordénie. Lorsque j'arrivai au Québec, ce fut la sœur de Mathilde, Nathalie, et son conjoint, Hugo, qui s'occupèrent de moi. Comme Mathilde et mon père était morts et qu'Éloi n'avait jamais été retrouvé, Nathalie et Hugo décidèrent de m'adopter, chose qui fut officialisée en 1983. Puis on décida de changer mon nom et mon prénom. De Ksenia Fapp, je devins Mélaine Blondin. Je vécus toutes mes années d'enfance et d'adolescence en ignorant presque tout de mon passé. Plusieurs années plus tard, mes parents adoptifs me révélèrent quelques bribes de mon histoire. Celle de Mathilde, de mon père, d'Éloi, mais il en manquait de grands bouts.

Pourquoi ai-je pris autant de temps avant d'appuyer sur la touche « retour en arrière » ? Je ne sais pas. La frénésie de la vie, les études, les premiers flirts, le début de ma carrière, bref, ce ne sont pas les raisons qui ont manqué, mais un beau jour, je décidai de lever le voile sur mon enfance, sur mes racines. Comme j'étais journaliste, j'avais une assez grande facilité à trouver de bonnes sources d'information. En tout premier lieu, je contactai les ambassades bordénienne et esporienne dans l'espoir de découvrir des morceaux du casse-tête. De là, on me dirigea vers les archives militaires et civiles de la guerre entre la Bordénie et l'Espora et celles de certaines villes comme Thornway et Choslow. Mais puisque tout était plus compliqué à distance, je pris quelques semaines pour venir sur place. C'était il y a trois ans. Je découvris des documents intéressants sur la mort de mon père, Gustaf Landsig Fapp (c'était son nom officiel, en général on l'appelait Gustaf ou Gus). J'appris que Gustaf Fapp avait été blessé grièvement et qu'il attendait dans une maison en ruine que des secours viennent le chercher, lui et un autre militaire du nom de Christian Tzemaneff. Je poussai mon enquête un peu plus loin. Dans les archives, Christian Tzemaneff affirmait que des membres d'une troupe de cirque qui s'était produite au camp de Znit avaient débarqué un soir dans cette maison et qu'ils étaient repartis le lendemain matin pendant qu'il dormait. Ce matin-là, Christian avait découvert le corps sans vie de Gus sur la cuvette des toilettes. Il avait été tué de trois balles. Il était clair selon lui qu'un des membres de la troupe du Cirque des montagnes Bleues avait commis l'homicide. Christian avait raconté cette histoire à ses supérieurs, mais comme on était en temps de guerre, l'enquête n'avait pas abouti. Entre-temps, j'appris l'existence du *Cirque des ombres* et sa venue prochaine au Québec. Je ne voulais pas rater ma chance d'en savoir plus sur ce qui s'était passé et j'avais bon espoir de réaliser un reportage sur l'histoire de ce cirque et de ses membres. C'est ainsi que je découvris l'existence d'Albert Sapieja et que je tentai d'entrer en contact avec lui. C'était il y a un peu plus d'un an. À présent je connaissais la réponse à ma question. Albert avait tué mon père en pensant que c'était Mapp.

Quelques jours passèrent avant que je reçoive un appel d'Albert. Son ton avait changé et je sentais moins d'animosité. Il semblait hésitant, comme s'il n'était pas sûr de la manière d'aborder ce qui s'était passé. Il me proposa de le rencontrer dans son appartement-hôtel, chose qu'il n'avait jamais faite. «Le plus tôt sera le mieux», dit-il. J'étais tout à fait d'accord. Lorsque je raccrochai, mon cœur battait la chamade. Je sortis prendre l'air. Les feuilles tombaient. J'avais l'impression de chuter et de tourbillonner avec elles.

Portrait

Lorsque Albert ouvrit, je vis dans son regard qu'il avait dû pleurer beaucoup. Il m'offrit un verre que j'acceptai. Je jetai un coup d'œil autour de moi. Le ménage semblait ne pas avoir été fait depuis un moment et des vêtements traînaient un peu partout. Sur la table du salon, un dessin plein de couleurs signé par Miljenka avec un gros « je t'aime » écrit au crayon noir. Lorsque je regardai le mur en face de moi, je la vis : Anna. Une grande photo en noir et blanc, prise sur le vif, sur la piste d'un cirque, peut-être entre deux numéros. On apercevais d'ailleurs un trapèze en arrière-plan et Anna regardait vers l'appareil photo, un sourire en coin, espiègle. Elle paraissait heureuse et amoureuse. Elle rayonnait. Albert revint dans le salon et me vit la regarder. Il sourit.

— C'est la plus belle photo que j'ai d'elle. Une des seules qui a capturé son esprit, son âme…

— On croirait qu'elle est là avec nous, quel incroyable regard, dis-je en m'assoyant sur le sofa.

— Oui, un regard qui ne meurt pas…

Un malaise s'installa. Je pris une gorgée de vin et croisai le regard d'Albert.

— Ces derniers jours, je me suis dit que vous me deviez des excuses et que ce que vous aviez fait et dit était impardonnable. J'étais tellement en colère que j'ai été aveuglé par vos paroles, puis j'ai réalisé la vraie portée de ce qui s'était passé. Vous m'apprenez que j'ai tué votre père et je vous envoie promener… Je n'ai vraiment pas été correct avec vous. En fait, j'ai réagi comme un imbécile et je vous demande pardon.

— Moi aussi, j'ai eu le temps de repenser à la façon dont vous avez réagi, et je me suis rendu compte que j'aurais pu vous présenter tout ça de façon moins brutale. Mais lorsque j'ai senti la haine que vous aviez eue envers cet homme qui ne vous avait rien fait, cet homme qui était mon père, ç'a été plus fort que moi. Il fallait que je crache le morceau !

— Avec le recul, je peux comprendre que ma réaction vous ait stupéfiée, mais j'ai été tellement étonné par votre révélation que je me suis braqué immédiatement.

— Effectivement, j'ai agi pour moi, pour comprendre. Mais je n'ai jamais eu l'intention de me servir de vous, encore moins de vous mettre au pied du mur. Rappelez-vous que je n'ai fait que vous écouter, jusqu'à ce que vous m'apportiez la preuve que je cherchais. J'aurais pu également ne jamais trouver la vérité…

— Justement, j'aimerais bien avoir votre version des faits, savoir comment vous avez reconstitué votre passé… jusqu'au cirque et jusqu'à moi. Ça m'aiderait à compléter mon propre casse-tête.

Je racontai donc mon histoire à Albert. Il m'écouta sans broncher puis me posa quelques questions. Je sentis que tout devenait plus clair dans sa tête. Nous étions maintenant au même point. Il ne restait plus qu'à préciser certains détails. Albert me servit un autre verre puis me montra des photos d'Éloi et de Mathilde qu'il avait réussi à récupérer dans le camp de base du Cirque des montagnes Bleues. Il y en avait même une de Mathilde, de mon père et de moi à quelques mois. Je sentis un flot d'émotions lorsque je vis une photo de ma mère qui m'allaitait dans une chaise berçante.

— Je dois vous dire quelque chose, Mélaine… Plusieurs mois après la fin de la guerre, j'ai voulu retrouver Mathilde pour lui parler d'Éloi et des circonstances de sa mort. J'ai appris que Mathilde était morte et que son mari, Gustaf Fapp, avait été tué au combat. Le nom de cet homme me confirma que j'avais probablement tué la mauvaise personne. Mais je n'ai rien fait pour en savoir plus sur lui, sur Mathilde ou sur toi. J'avais trop peur de ce que je pourrais découvrir. Alors j'ai enterré cela au plus profond de ma mémoire. Beaucoup plus tard, Agnès m'a appris que Ksenia avait été adoptée par la sœur d'Éloi et son mari. Pendant un certain temps, j'ai eu le désir d'entrer en contact avec eux, mais je ne l'ai pas fait. Je crois que j'avais peur, peur de découvrir ce que vous m'avez appris dernièrement. C'est pour ça que depuis j'ai vécu dans le déni. Puis vous êtes arrivée et vous avez cassé ma belle assurance. Mais il y a quelque chose de brisé, et ce sentiment de trahison ne disparaîtra pas du jour au lendemain. Vous m'avez esquinté, Mélaine… il y a des choses qui s'oublient, mais pas complètement.

— Je peux comprendre ce que vous avez ressenti. Moi aussi je vous ai trouvé méprisable, mais tout est dans le contexte ; c'est ce que je me suis dit en y réfléchissant ensuite. C'était la guerre, tout pouvait arriver. Vous retrouvez un homme qui selon vous a violé votre femme et vous cédez au sentiment de vengeance et de colère. Qu'est-ce que j'aurais fait dans les mêmes conditions? Je ne sais pas. Je ne pouvais donc pas vous en vouloir autant que je l'aurais voulu, et sur le coup ça m'a mise en colère! Et c'est là que j'ai pensé à abandonner le reportage, mais je l'aurais regretté... beaucoup.

— Donc vous voulez continuer?

— Oui...

Albert se leva et vint vers moi. Il me serra dans ses bras. Je sentais qu'un poids venait de glisser de ses épaules et j'éprouvais moi aussi la même sensation. Une impression de légèreté. J'étais fière d'avoir mis mon ego de côté et d'avoir emprunté le sentier qui mène au pardon. Je n'aurais pas cru en être capable.

Fragile murmure de la terre

Plusieurs jours passèrent au camp de la Croix-Rouge avant que je revienne un tant soit peu sur terre et que j'aie envie de faire autre chose que de dormir. Zosia et Agnès m'aidaient à m'occuper de Miljenka, puisque seul, j'en étais incapable. C'était trop, et Agnès le savait. Un soir que Miljenka s'était endormie plus tôt que d'habitude, j'entendis le son d'un violon puis d'une guitare qui semblait provenir de la petite baraque voisine de la nôtre. Je tendis l'oreille et reconnus l'air de *Yesterday* des Beatles. Cette musique était belle, et semblait aussi fragile que tous les êtres qui partageaient ce camp avec nous. À ce moment je vis un petit chat qui s'approchait de moi. Il lui manquait une patte mais il n'avait pas l'air de s'en formaliser puisqu'il ronronna dès que je le caressai. Résilience pure. J'eus soudain la furieuse envie de vivre et d'agir. J'entrai alors dans notre refuge avec le petit chat et lui donnai un peu de lait. Agnès m'aperçut et s'approcha de moi. Elle me sourit puis caressa le chat à son tour. Je vis des larmes couler sur ses joues. Elle pleura longtemps avec des sanglots. Elle me dit qu'elle ne savait pas pourquoi elle pleurait. Moi je le savais. Cette petite boule de poils hirsutes à qui il manquait une patte nous donnait une leçon de vie. Il n'y avait rien de plus puissant que la force de vivre. Voilà le message que le chat nous transmettait.

Ce soir-là, la petite bête coucha dans une boîte dans laquelle nous avions mis une vieille couverture. Miljenka dormait dans son berceau. J'eus la certitude que nous pourrions être encore heureux un jour.

Le lendemain matin, les yeux des enfants étincelèrent lorsqu'ils virent le chat. Ils l'adoptèrent immédiatement. Nous décidâmes de l'appeler Zozo et de confier aux enfants la responsabilité de le nourrir et de le protéger. Ce geste nous redonna espoir et j'en profitai pour aller voir les musiciens de la baraque voisine et leur parler d'une idée qui m'était venue.

Quelques jours plus tard, Agnès, Zosia, les enfants et moi réussîmes à monter un petit spectacle. Avec d'autres réfugiés, nous construisîmes une minuscule scène dans une baraque vide. Nous présentâmes quelques numéros accompagnés par le violoniste et le guitariste que j'avais entendus l'autre soir. Les adultes souriaient et les enfants étaient émerveillés par nos petits numéros. On vit même certains réfugiés danser au son de la musique. Je compris que ce spectacle mettait un baume sur les blessures de tout un chacun. C'était notre rôle de divertir et nous avions pu le faire encore une fois, malgré la tourmente et la souffrance.

En dépit de ces beaux moments, la guerre refaisait parfois surface. Des convois de blessés arrivaient d'un peu partout. Des civils, des militaires. Du sang, des cris, des larmes. La guerre n'était pas finie. Parfois nous écoutions la radio qui annonçait que les combats se poursuivaient sans relâche et que les Nations Unies avaient l'intention d'intervenir dans le conflit. Je n'y croyais pas. Nous ne devions compter sur personne, l'Espora étant une région qui ne représentait aucun enjeu majeur pour les pays occidentaux. Nous étions plusieurs à partager ce point de vue.

À quelques reprises, je m'informai de Znit. Il n'y avait pas beaucoup de nouvelles, à vrai dire elles étaient inexistantes, jusqu'au jour où je rencontrai un membre de la Croix-Rouge qui revenait de cette région. Il m'apprit que de violents combats s'étaient déroulés dans le cœur de la région nord de la Bordénie, c'est-à-dire tout autour de Znit. Il ne savait pas ce qui s'était passé au camp de prisonniers mais, selon lui, les dépôts d'armes et de matériel militaire de Znit avaient été bombardés et les baraquements des prisonniers étant situés très près de ces dépôts, ce n'était pas une bonne nouvelle. Je le remerciai et fis part aux autres de ce que j'avais appris. En fait, nous n'en parlions pas beaucoup, mais je n'étais pas le seul à penser que tous nos amis du Cirque des montagnes Bleues de Znit étaient morts.

Nous restâmes plusieurs mois dans le camp de Bisben. Puis, un jour, la radio nous apprit que la guerre était terminée. En réalité, les dirigeants des pays impliqués s'étaient entendus sur la fin des hostilités. Il n'y avait ni gagnants ni perdants. Seulement des centaines de milliers de victimes. Tout ce qu'on savait, c'est que la communauté internationale s'était mobilisée. Puis on avait envoyé des troupes pour appuyer l'Espora. Quelques bombes avaient suffi… quelques bombes et des milliers de civils tués. La guerre avait duré pratiquement un an et les deux pays étaient à reconstruire. Qui avait gagné? Je ne le savais pas et je décidai d'arrêter de me poser la question car ça me faisait trop mal de songer que j'avais perdu Anna et une partie de mes amis dans un conflit qui finalement n'apporterait aucun changement pour nos deux pays. Les vieilles disputes et la rivalité ancestrale allaient continuer de saboter tout effort de résolution. Il fallait accepter et continuer de croire.

Pardonner

J'avais l'impression qu'Albert tenait à terminer cet exercice, même au prix de réminiscences douloureuses. Il n'était pas seul. Moi aussi j'étais dans le même bateau. Nos passés étaient différents mais nous nous retrouvions tous les deux dans l'histoire du *Cirque des ombres* et dans celle de la guerre. Alors qu'Albert allait reprendre son récit, il scruta mon regard à la recherche de quelque chose.

— Pourquoi me pardonnez-vous?

— Parce que j'ai envie de vous pardonner, dis-je sans même réfléchir.

— Et est-ce que vous êtes en paix avec votre décision?

— Oui, je ne veux pas revenir en arrière…

— Et vous ne me considérez pas comme un meurtrier, comme un lâche?

— Non, je n'ai même jamais pensé ça.

— J'espère seulement que je ne suis pas tombé trop bas dans votre estime…

— Vous êtes un humain, Albert. Pour moi, il n'y a rien à ajouter. Vous avez agi comme un humain, terrassé et brisé par la colère, la tristesse, la peur, et l'amour… tout comme je l'ai été aussi.

— Je me souviens que quelqu'un m'a dit un jour: « Que veux-tu qu'il soit inscrit sur ton épitaphe: il fut un grand artiste ou un être humain?» J'ai hésité quelques secondes avant de répondre, mais je voulais être un être humain, rien d'autre.

Albert se leva puis vint me serrer dans ses bras. Je pleurai lorsqu'il me dit:

— Si j'avais été courageux... si j'avais essayé de savoir ce qu'était devenue Ksenia, j'aurais probablement voulu t'adopter, et aujourd'hui tu serais ma fille.

Retour à Choslow

La fin de la guerre fut une épreuve. Il fallut quitter le camp de Bisben où nous avions tissé des liens et retrouvé un peu de douceur et de paix. Je me souviens que plusieurs personnes sont restées amies même après la guerre. Mais qu'est-ce qui nous avait rapprochés à ce point ? Qu'avions-nous partagé avec ces réfugiés, ces survivants, ces fantômes ? Je crois que ce sont les signes d'humanité que nous avions partagés comme des denrées rares, comme des mets de choix. Nous les avions échangés avec qui voulait bien les recevoir et les préserver.

Lorsque nous quittâmes le camp, nous fûmes dirigés vers Choslow, la capitale de l'Espora, là où avait été dressé le premier chapiteau du Grand Cirque d'Espora.

Je ne m'attendais pas à trouver Choslow aussi marquée par la guerre. La destruction avait frappé immeubles, maisons et infrastructures routières. La ville ressemblait à celles qui avaient été prises en photo au lendemain de la Seconde Guerre mondiale. Un univers de désolation. Une fois sur place nous nous dirigeâmes vers un centre d'hébergement temporaire pour ceux et celles qui n'avaient pas de maison ou de famille pour les accueillir. C'était notre cas.

Il régnait un climat paradoxal de torpeur et de joie chez les habitants de Choslow. Ils étaient heureux que la guerre fût terminée, mais un profond désespoir se lisait sur leurs visages car personne ne pouvait faire comme si rien n'était. Chaque coin de rue, chaque parc, chaque quartier portait les stigmates de la guerre. Des hommes, des femmes et des enfants erraient ici et là en quête de nourriture, d'eau et d'abris. Nous qui pensions retrouver une ville dans laquelle nous aurions pu avoir l'impression de revivre! Ce ne fut pas le cas. Zosia et les enfants quittèrent l'Espora pour aller retrouver des membres de leur famille en Espagne. Veuve avec deux enfants, elle se révélait courageuse et exceptionnellement forte.

Quelques jours plus tard, Agnès et moi trouvâmes un petit appartement à louer qui allait nous permettre de refaire surface. Nous en profitâmes pour retrouver d'autres membres de la troupe du Cirque des montagnes Bleues. Ceux et celles qui étaient originaires d'autres pays étaient bien vivants et avaient pu quitter à temps le pays avant l'apogée de la guerre. Ils ne prévoyaient pas revenir en Espora, ce qui ne me surprit guère. Qui les aurait blâmés? Quant à Znit, nous eûmes la confirmation que tous ceux qui étaient restés là-bas étaient soit disparus soit morts. On retrouva plusieurs corps dans des fosses communes, mais l'identification était à ce point complexe que ce ne fut que plusieurs années plus tard que tous nos amis purent être formellement identifiés. Quant aux autres, les familles durent se contenter de savoir que leurs proches étaient bien morts dans le camp de Znit.

Des mois passèrent avant que ma relation avec Agnès ne change. Un soir, après avoir couché Miljenka, elle cogna à la porte de ma chambre. Elle avait pleuré et cherchait, je crois, de la chaleur et de la tendresse. Moi aussi je ressentais ce besoin, et ce fut tout naturellement que nous avons partagé le même lit. Il n'y eut pas de sexualité, seulement du réconfort, du moins au début. Agnès se blottissait dans mes bras et s'endormait paisiblement. Je la regardais et cela me donnait du courage. Elle avait traversé les mêmes épreuves que nous et avait troqué l'usage de son corps contre notre liberté. Elle méritait le bonheur, la douceur, la quiétude. Je ne ressentais pas de malaise dans cet échange de tendresse, je ne me sentais pas coupable de tromper Anna. Cette relation plus intime était temporaire et je continuai à pousser Agnès à sortir et à voir des gens de son âge. Elle n'était âgée que de vingt-cinq ans, donc beaucoup plus jeune que moi qui en avais déjà trente-six. Je ne voulais pas qu'elle limite son horizon en restant constamment avec moi et Miljenka.

À l'automne, nous retournâmes à Lansalé, au camp de base du Cirque des montagnes Bleues, là où tout avait commencé. Lorsque nous fûmes tout en haut de la colline aux Hiboux, le spectacle qui s'offrit à nos yeux était désolant. Le camp avait été dévasté. Le chapiteau était en lambeaux, les roulottes avaient été saccagées et le matériel détruit ou volé. Il n'y avait plus rien, plus d'esprit, plus de matière, plus d'inspiration. J'en profitai pour récupérer ce qui était récupérable. Des effets personnels, des livres, des costumes… également des photos et des lettres. Je fus même surpris de retrouver quelques films super 8 que nous avions tournés à divers moments de l'histoire de notre cirque. Toute la troupe y figurait. Même Éloi et Elena.

Avant de partir, j'essayai de m'imaginer revenir à Lansalé et repartir à zéro. Ce n'était pas possible. Cet endroit était mort pour moi. Tout respirait le passé. Tout respirait Anna.

À notre retour à Choslow, je confiai Miljenka à Agnès et entrepris un voyage vers la Bordénie afin de retrouver le lieu où nous avions enterré Anna dans la neige. Je savais que je n'avais pas beaucoup de chance de réussir, mais il fallait que j'essaie quand même. Une fois sur place, je retrouvai la route entre Znit et le camp de prisonniers du même nom. Je fus étonné de pouvoir rouler librement dans ma voiture sans me faire arrêter à des postes de contrôle militaires. C'était presque comme s'il ne s'était rien passé, sauf que la guerre avait laissé ses traces. Il y avait à plusieurs endroits des maisons et des immeubles complètement détruits. Les routes avaient été bombardées et des trous béants rendaient la conduite périlleuse. Chaque maison encore debout côtoyait des vestiges de la guerre. Des restes de véhicules militaires, des voitures calcinées, et surtout l'absence presque totale d'habitants à l'extérieur. Une ville fantôme, voilà à quoi ressemblait Znit. Des chiens errants zigzaguaient dans les rues, comme si eux-mêmes cherchaient un endroit où se réfugier. J'avais l'impression que la mort rôdait partout.

Malgré le fait que je me rappelais à peu près l'endroit où nous avions commencé à marcher dans la neige, je fus incapable de repérer le boisé où nous avions trouvé refuge. Je marchai longtemps, respirant les odeurs de l'automne, scrutant le moindre arbre ou vallon à la recherche d'indices. Mais le paysage ne ressemblait pas du tout à celui que mon regard avait capté lors de cette nuit de tempête. Je choisis donc un petit îlot d'arbres surplombant les vastes champs et empilai des pierres afin de créer un cairn. Je m'assis là et je pleurai longtemps, pensant à tout ce que j'avais perdu. Je crois m'être alors endormi. Je me réveillai au crépuscule. Les feuilles tombaient ici et là et la rosée avait tout recouvert. Je quittai l'endroit en me retournant plusieurs fois, croyant peut-être en un miracle qui m'aurait rendu Anna. Mais il n'y eut rien de tel. Seulement le cri d'une chouette et l'ombre des clôtures qui ceinturaient les champs. Je ne suis jamais retourné à cet endroit. Lorsque Miljenka fut en âge de comprendre, je l'emmenai dans un cimetière de Choslow où j'avais choisi une pierre tombale pour Anna. C'était plus près et la distance entre ce cimetière et Anna était plus grande et moins chargée d'émotions.

Dans l'année qui suivit la fin de la guerre, nous fondâmes un autre cirque : Le Petit Cirque de la valise. C'est Agnès qui eut cette idée en voyant la multitude de musiciens et de saltimbanques offrant leur spectacle dans la rue pour survivre ; une valise devant eux pour recueillir ce que les passants voulaient bien partager. Nous avons appelé le cirque ainsi parce qu'il était non seulement petit, original et jeune, mais que la plupart des membres de la nouvelle troupe venaient de la rue, là où nous les avions trouvés et embauchés. Nous n'avions pas beaucoup de matériel, mais la ville de Choslow m'avait permis de récupérer certaines choses qui ne servaient plus et qui dataient du Grand Cirque d'Espora. Avec le temps, je pus acquérir du matériel neuf, mais le cirque était modeste et nos besoins n'étaient pas grands.

Ma relation avec Agnès avait changé au fil du temps. Nous faisions parfois l'amour mais ne nous bercions pas d'illusions sur la pérennité de cette relation. Elle durait parce qu'elle était apaisante et rassurante. Je continuais à penser qu'Agnès devait élargir son cercle d'amis. Je trouvai donc une nounou à temps plein pour Miljenka. Cela me permit de consacrer plus de temps au cirque et de libérer Agnès de ses fonctions de mère par procuration. Malgré la présence de la nounou, j'essayais d'emmener Miljenka avec moi lors des répétitions ou des soirs de spectacle. Cela lui permettait de côtoyer les membres de la troupe et de socialiser, surtout que deux artistes de notre cirque avaient des enfants de son âge.

Pendant presque trois ans, je continuai à insuffler de l'énergie dans ce cirque. Les critiques étaient très bonnes et malgré notre petit budget nous pûmes partir en tournée dans quelques pays d'Europe et d'Asie, mais ce n'était plus la même chose... Il me manquait la flamme du début et ça, c'était impossible à retrouver. Même si le temps avait passé et que la douleur était moins vive, je voyais parfois Anna qui voltigeait dans les airs ou qui entrait dans une pièce. Je la voyais attendre l'autobus ou marcher dans la rue, tournant la tête pour m'adresser un clin d'œil comme elle aimait le faire. En fait, j'essayais tant bien que mal de saisir quelque chose qui n'existait plus. Le feu de la piste avait disparu. Je me rendis compte que le cirque était terminé pour moi, du moins à titre de directeur, de créateur, de propriétaire. Je décidai donc de me retirer et de passer du temps avec Miljenka. Chose que je fis jusqu'à ce que je m'aperçoive que je m'ennuyais à ne rien faire, surtout lorsque ma fille était avec sa nounou ou qu'Agnès s'en occupait.

Afin de former de jeunes artistes de cirque, je profitai des installations du Grand Cirque d'Espora qui ne servaient plus depuis la fin de la guerre et je transformai les lieux pour accueillir des jeunes à partir de douze ou treize ans. J'avais trouvé ma voie. Je ne peux pas dire que j'étais riche, bien au contraire, mais je gagnais assez pour subvenir à mes besoins et à ceux de Miljenka. C'était tout ce qui importait. Je n'étais ni heureux ni malheureux. J'avais l'étrange impression d'être sur une ligne droite qui filait vers une destination sans grande passion, mais sans problème. Ce fut Agnès qui bouscula un peu l'ordre établi lorsqu'elle m'annonça qu'elle avait rencontré un jeune homme qui était juste un peu plus âgé qu'elle. Quelques mois plus tard, elle était transformée; l'amour lui avait redonné des ailes, des couleurs et du courage. J'étais très heureux pour elle.

Lorsque Agnès quitta notre appartement, je choisis de me consacrer tout entier à ma petite Miljenka. Elle devenait plus gracieuse et plus belle chaque jour, mais plus sauvage aussi. Elle n'était pas une enfant facile et bien des fois j'eus de la difficulté à la contenir. Mais les compensations étaient nombreuses; Miljenka avait un esprit qui me rappelait beaucoup celui d'Anna, une émotivité à fleur de peau, mais un esprit tout droit tourné vers l'aventure, la découverte, le dépassement de soi. Je ne fus donc pas surpris un beau matin qu'elle me demande si elle pouvait devenir l'une des mes élèves de cirque. J'acceptai en me disant que c'était peut-être un désir momentané et que quelques mois plus tard elle abandonnerait cette idée et m'annoncerait qu'elle voulait devenir vétérinaire. Mais ce ne fut pas le cas. Elle persista et devint l'une des meilleures. Très rapidement, elle dépassa mes capacités à lui enseigner quelque chose de neuf. Je lui fis donc rencontrer un ami qui travaillait pour un petit cirque français. Il fut tout aussi surpris de constater que Miljenka avait énormément de potentiel brut. Il ne lui manquait que de la finition. Comme Miljenka n'avait que treize ans, je décidai d'attendre un peu avant de lui permettre de s'expatrier. Je ne voulais pas qu'elle abandonne tout de suite l'école et je tenais à ce qu'elle reste près de moi encore quelques années. Elle accepta et en échange je l'emmenai en France à quelques reprises afin qu'elle puisse faire connaissance avec la troupe de ce cirque. Elle en revint totalement emballée.

À quinze ans, Miljenka me quitta pour Paris. J'avais accepté à la condition qu'elle poursuive ses études. Miljenka put donc conjuguer études et formation au cirque. C'était pour moi un compromis acceptable. Du jour de son départ, je ne me rappelle que son visage lumineux. Sa joie. Son ivresse. Comme je l'avais fait moi-même des années auparavant, elle quitta le nid familial pour voler de ses propres ailes et suivre son destin. C'était sa vie. Je n'étais que son père, et ma fonction n'incluait pas celle de geôlier. Il y en avait déjà assez eu comme ça dans ma vie. Je ne voulais pas qu'elle sente que des boulets la retenaient. Elle me quitta donc aussi légère qu'un flocon de neige. J'étais à la fois heureux pour elle et triste. Je savais que la vie sans elle allait être difficile. Mais son bonheur m'importait plus que tout.

Miljenka revint en Espora plusieurs années plus tard. Et le reste appartient à l'histoire, son histoire et celle du *Cirque des ombres*.

La dernière rencontre

En mettant fin à son récit, Albert fouilla dans une boîte. Il en sortit deux bobines de film et une grande enveloppe.

— Voilà, j'ai pensé que vous aimeriez avoir cela. Il y a des photos qui appartenaient à Éloi et d'autres que j'ai retrouvées dans ma roulotte à Lansalé. Gardez-les, je vous les donne.

Je ne sus quoi dire. Albert vint s'asseoir à mes côtés et commenta certaines photos.

— Celles-là ont été prises en Bordénie. Voilà Éloi et vos parents…

L'émotion me serra la gorge. Sur l'une des photos, je devais avoir deux ou trois ans, je serrais une poupée dans mes bras alors que mes parents me regardaient tendrement. Ils avaient l'air heureux et surtout très amoureux. Sur une autre, Éloi me tenait dans ses bras et Mathilde (ma mère) riait penchée sur lui. Albert me montra alors une dernière photo sur laquelle on voyait mon père dans son habit militaire. Il me tenait par la main et moi je regardais la caméra. Il souriait moins sur cette photo. Il semblait songeur. Je gardai cette dernière photo longtemps avant de la remettre sur la pile.

— Merci, Albert. C'est très gentil de votre part.

— Voulez-vous regarder les films ?

— Oui, mais je n'ai pas de projecteur.

— Je peux vous en prêter un, vous n'aurez qu'à le rapporter plus tard. Il ne me sert pas à grand-chose en ce moment.

— Je ne sais pas quoi dire Albert, c'est un très beau geste, je n'avais même pas de photos de mon père.

— Ça me fait plaisir.

En sortant de chez lui, je ressentis une grande émotion. Comme une libération du passé. Rien n'avait changé dans mon histoire personnelle, sauf que j'avais réussi à baliser des sections de ma vie restées floues jusqu'à ma rencontre avec Albert. Je savais que j'allais pouvoir maintenant me consacrer au futur sans les boulets du passé. Ce que m'avait raconté Albert ne m'avait pas redonné un père ou une mère mais des souvenirs plus précis d'eux. En marchant sur le trottoir, je regardai vers l'immeuble où habitait temporairement Albert et je le vis qui me regardait m'éloigner. Il me fit un signe de la main que je lui rendis. Était-il plus en paix lui aussi? Peut-être. Nous nous étions fracassés l'un contre l'autre et des morceaux épars avaient pu être recollés.

Soir de première

Je me rendis assez tôt au lieu du spectacle. Je voulais sentir le pouls du public et me préparer à accueillir l'histoire que je connaissais déjà mais dont je n'avais jamais vu la trame principale : le spectacle de cirque. En m'asseyant dans les gradins, je sentis l'odeur de l'encens, je vis les tableaux et les photos qui repassaient en boucle sur l'un des écrans géants. Des photos de cirque, en noir et blanc, en couleur. J'y reconnus des membres de la troupe. Sur l'une d'elles, je vis Éloi et Peter en train d'exécuter un de leurs numéros. Une autre d'Albert et Anna sur leur trapèze. Puis de Miljenka toute petite sur le dos de son père. Je trouvai que ce diaporama était une bonne introduction au spectacle pour ceux qui ne connaissaient pas l'histoire du *Cirque des ombres*. Un maître de piste apparut ; il était éclairé par une unique lumière bleue. Il dédia le spectacle à ceux et celles qui étaient disparus, qui étaient morts pour le cirque. On vit alors les photos des artistes sur les écrans géants pendant que le maître de piste nommait lentement les disparus : Anna, Elena, Marcello, Éloi, Peter, Herman, Esteban.

Les lumières s'éteignirent et deux artistes arrivèrent sur la piste. Des barreaux de cage soutenus par des filins invisibles tournoyaient au-dessus des deux hommes qui y grimpèrent en s'aidant d'échelles. Les équilibristes sautaient sur les barreaux pendant que ceux-ci montaient très haut. D'autres barreaux apparurent et formèrent une sorte de cage dans laquelle l'un des hommes fut enfermé. L'équilibriste qui était libre se tenait agrippé à la cage pendant que celle-ci pivotait sans cesse sur elle-même. Finalement, l'un des hommes réussit à ouvrir la porte de la cage, fit sortir l'autre et donna des coups sur la cage qui se défit et tomba sur la piste pendant que les deux hommes virevoltaient sur des cordes. Ce fut là le premier numéro, chaudement applaudi. Le reste du spectacle fut spectaculaire, sublime. Il y avait un savant mélange de numéros traditionnels, du genre de ceux qui étaient exécutés à l'époque du Cirque des montagnes Bleues, et d'autres très novateurs et récents. C'était un bel hommage aux artistes disparus et à ceux qui formaient la relève.

Au fur et à mesure que le spectacle évoluait, je me demandai si Miljenka avait véritablement une place dans celui-ci. Au moment même où j'eus cette pensée, les lumières s'éteignirent une nouvelle fois. Voici ce que je rédigeai pour mon journal le soir même en décrivant le dernier numéro :

Le bruit de la foule diminue. Une musique se fait entendre. Un violon. Comme une plainte. Une musique étrange, un peu slave, réminiscence du passé. Un projecteur éclaire la piste. Entre deux structures d'acier, une passerelle suspendue formée d'humains qui se tiennent par les bras et les jambes, tous habillés de gris, le visage couleur de pleine lune. Cette passerelle se balance doucement. Soudain, des personnages vêtus de longs manteaux noirs, aux visages masqués, commencent à marcher sur cette passerelle. Ils marchent lourdement et chacun de leurs pas cadencés fait vaciller dangereusement la passerelle humaine. On entend de petits cris. On voit l'effort déployé par les humains formant ce pont aérien. On entend un grondement, celui des êtres qui résistent. Mais une personne relâche un bras, puis une autre une jambe. En une fraction de seconde, le pont humain s'effondre. Les personnages noirs sont maintenant disparus. Ils ont réussi à traverser à temps. Une fine neige tombe partout sur la piste. Elle recouvre les humains épuisés qui gisent par terre. Une jeune fille s'avance alors sur la structure d'acier. Elle regarde vers le bas, mais n'ose avancer. Puis, les humains commencent à bouger et, comme par magie, la passerelle se reforme. Les uns après les autres, les hommes et les femmes retissent leurs liens. La petite fille se met à marcher sur cette passerelle qui vibre à chacun de ses pas. Puis, au milieu, elle s'arrête. Quelques secondes plus tard, elle s'envole, transportée par un filin descendu jusqu'à elle.

Une seule lumière éclaire maintenant la piste. La neige tombe lentement, presque en suspension dans l'air. Une femme apparaît dans le noir à l'endroit où a disparu la petite fille. C'est Miljenka. Elle est recroquevillée sur un fil. Elle se relève, puis commence à marcher. La musique reprend. Un air tzigane. Miljenka danse sur le fil, puis se dirige vers un trapèze. Elle le saisit, puis s'élance dans le vide. La neige continue de tomber. Une seule lumière éclaire Miljenka qui se berce sur son trapèze. Les lumières s'éteignent. La musique s'arrête. Le spectacle se termine avec l'arrivée de tous les artistes sur la piste. Les spectateurs leur font une ovation. Lentement, un homme s'approche et prend place au milieu d'eux. C'est Albert. Il sourit et applaudit ses artistes qui exécutent une révérence devant le public. Il semble très ému. Je me lève moi aussi et applaudis la troupe.

En quittant le chapiteau, plusieurs pensées effleurèrent mon esprit. Je cherchais des mots pour qualifier le spectacle et l'expression «état de grâce» résumait assez bien ce que je pensais du *Cirque des ombres*. En fait, je n'avais jamais vu un spectacle qui m'ait autant émue et marquée. À la sortie, un violoniste et un guitariste jouaient une musique slave. Plusieurs personnes s'arrêtèrent et les écoutèrent longuement. Je fis de même. Je me disais en observant la foule de spectateurs qui sortaient qu'il y avait comme une volonté de ne pas émerger de cet enchantement. J'aurais voulu que ce spectacle ne s'arrête jamais.

Le lendemain, je regardai les petits films super 8 que m'avait donnés Albert. Sur l'une des bobines, Albert avait inscrit X-Mathilde. Ce fut le dernier que je visionnai. Je fus très surprise de voir ma mère, mon père et Éloi qui jouaient avec une petite fille dans un parc. J'étais cette petite fille. C'était la première fois que je voyais ma mère et mon père ensemble sur autre chose que des photos en noir et blanc endommagées par le temps. Ce fut la plus belle preuve matérielle de mon enfance. J'appelai Albert et le remerciai du fond du cœur. Il me dit que c'était la moindre des choses et que le but était de me rendre heureuse, ce qui fut le cas. Nous convînmes de nous revoir quelques jours plus tard, dans le même café où Albert avait commencé à me relater son histoire. Lorsqu'il se présenta, je sentis qu'il était plus léger et plus serein.

Dernier rideau

Lorsque nous sommes revenus en Espora après notre fuite du camp de Znit, nous avons rencontré des militaires esporiens à cheval sur une route perdue au milieu de nulle part. Les hommes étaient lourdement armés et leur chef, un officier assez jeune, avait été surpris de nous voir là. Nous avions sûrement l'air de fantômes avec nos mines hagardes et nos yeux fatigués. Ces militaires conduisaient une procession de prisonniers bordéniens qui étaient enchaînés et qui marchaient à côté des chevaux. Les hommes s'arrêtèrent en nous voyant et le chef nous demanda où nous allions. Je les informai que nous cherchions refuge et avions une très jeune enfant avec nous. Le chef descendit de son cheval et se planta devant Agnès. Il lui demanda s'il pouvait voir le bébé. Elle le lui montra. Son regard s'illumina. Il sourit.

À cet instant, l'un des prisonniers se rapprocha de Zosia et cracha à ses pieds. Un militaire descendit de son cheval et asséna avec son arme un violent coup sur la nuque du prisonnier. Celui-ci s'écroula. Quelques secondes plus tard, il releva la tête et me regarda droit dans les yeux. La haine se lisait sur son visage. Une haine qui me glaça le sang. Il commença alors à nous insulter et à nous traiter de tous les noms. Il reçut un autre coup sur la nuque. Agnès demanda au chef des militaires d'arrêter. Il donna des ordres et celui qui venait d'assommer le prisonnier remonta à cheval. Je me rappelle très bien la conversation qui suivit entre l'officier esporien et moi. Il me demanda de ne pas les juger trop rapidement. Qu'ils avaient été des humains au début de la guerre mais qu'ils étaient devenus des bêtes par la suite. Ils n'avaient pas eu le choix de se transformer ainsi, car l'ennemi n'était pas humain. Je lui demandai alors s'il parlait des Bordéniens, mais il me répondit que c'était la guerre qui était leur principal ennemi, et qu'ils n'auraient pas pu poursuivre le combat et rester en vie s'ils n'étaient pas devenus des bêtes. C'était le prix à payer en temps de guerre. L'humanité devait céder le pas à la sauvagerie. Sur ces paroles, il remonta à cheval et donna l'ordre de marche. Je les suivis du regard, eux sur leurs montures et les prisonniers qui marchaient lentement à leurs côtés dans la neige.

Je me fis la réflexion que cette sauvagerie s'était également emparée de moi. Que j'étais devenu une bête lorsque j'avais tué cet homme sans défense. La frontière était si ténue entre l'humanité et la barbarie. À quel moment devions-nous nous transformer pour rester en vie, pour demeurer lucide ? Où était donc passé Dieu, pour qui l'humain représentait l'ébauche de quelque chose de meilleur à venir ? Nous étions si faibles, si vulnérables. Qu'est-ce qui pouvait nous sauver, nous rendre meilleur ? Une seule chose : *l'amour*, l'unique moyen de transcender notre égarement, notre fragilité, notre naïveté. C'était ce qui m'avait sauvé. C'était ce qui avait sauvé des milliers d'humains.

Postface

Voir son premier roman publié est une expérience incroyablement stimulante et gratifiante. C'est une somme d'émotions et de sentiments. Mais c'est aussi, dans mon cas, une espérance. Une lumière apaisante et providentielle au bout du tunnel.

Le propos de ce roman porte sur l'art comme outil pour lutter contre l'intolérance, le sectarisme et la privation de liberté.

C'est là son objet fondamental : la survie en dépit des abus ayant entraîné violence, abandon, rejet et perte de confiance.

Pour beaucoup de survivants, le fait même de vivre paraît une usurpation. C'est de là que provient ce puissant sentiment de vide, d'incomplétude et, ultimement, celui d'être un fantôme. Car l'abus, quel qu'il soit, provoque une mort symbolique. Et cette mort poursuit les survivants une bonne partie de leur existence, parfois jusqu'à la fin.

J'ai écrit ce livre pour montrer que l'art peut sauver la raison et la vie. Puis que l'amour peut être un outil de salut, de guérison et de pardon.

Je dédie donc mon roman à tous les survivants, quels qu'ils soient. Je veux leur montrer que le fait d'avoir survécu peut aussi vouloir dire qu'on peut espérer vivre normalement et réaliser ses rêves. Qu'ils ne devraient jamais s'avouer vaincus, qu'ils devraient conserver en tout temps leur dignité.

Je veux aussi leur transmettre l'espoir qu'un jour leur tristesse, leur souffrance et leur détresse pourront être atténuées.

Je comprends leurs souffrances car elles sont miennes. La survivance a gravé en mon âme, mon cœur et mon corps des motifs indélébiles. Ils ne disparaîtront jamais, je commence à peine à savoir vivre à travers eux.

Remerciements

Je remercie toutes les personnes qui m'ont aimé, aidé et appuyé et qui sont demeurées à mes côtés au cours des dernières années. Elles se reconnaîtront, j'en suis sûr.

Une pensée spéciale pour Anne-Marie, Nicolas et Louis-Marie. Je ne vous ai pas oubliés. Vous aurez toujours une place dans mon cœur. Vous m'avez protégé et aimé pendant la plus grande période de noirceur de ma vie. Votre soutien, votre générosité et votre dévouement ont été indéfectibles. Merci, vous avez contribué à me sauver.

À Gaétan St-Arnaud. Tu m'as guidé vers l'espérance et m'as appris à vivre avec la survivance. C'est par toi que je me suis découvert des forces que j'ignorais. Tu es l'une des premières personnes à m'avoir conseillé d'écrire un roman.

À Véronique Marcotte, ma mentore. Tu m'as aidé et appuyé au cours de l'écriture de *Hangar n° 7*. Tu n'as jamais mesuré ton temps, tes efforts et ton énergie pour améliorer mon roman et m'aiguiller vers la publication. Merci Véronique, tu m'as ouvert les yeux sur mon talent, moi qui n'avais jamais osé réaliser que j'en avais.

À Julie… ma douceur, ma beauté, mon amour. Les anges t'envient du haut de leur perchoir. Ils savent que l'essence même de l'humanité repose en toi.

À Charles-Antoine, mon petit garçon. Je proté-
gerai jusqu'à ma mort le magnifique terreau que tu
représentes. Je te guiderai et veillerai sur toi, quel que
soit le futur qui t'est réservé.

À mon père. De là-haut, tu dois sourire. Tu avais
toujours conservé l'espoir qu'un jour je réussirais à
concrétiser mes rêves. Tu n'avais jamais cessé de croire
en moi et en mes capacités. Je t'aime.

GARANT DES FORÊTS
INTACTES

Tous les livres des Éditions Triptyque sont désormais imprimés sur du papier 100 % recyclé postconsommation (exempt de fibres issues des forêts anciennes) et traité sans chlore.

MARQUIS

Québec, Canada